REDISCUTINDO A MESTIÇAGEM NO BRASIL

Identidade nacional
versus
identidade negra

REDISCUTINDO A MESTIÇAGEM NO BRASIL

Identidade nacional
versus
identidade negra

Kabengele Munanga

5ª edição, revista e ampliada
4ª reimpressão

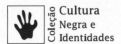

Coleção Cultura Negra e Identidades

autêntica

Copyright © 2004 Kabengele Munanga

Todos os direitos reservados pela Autêntica Editora Ltda. Nenhuma parte desta publicação poderá ser reproduzida, seja por meios mecânicos, eletrônicos, seja via cópia xerográfica, sem a autorização prévia da Editora.

COORDENADORA DA COLEÇÃO
Nilma Lino Gomes

CONSELHO EDITORIAL
Marta Araújo (Universidade de Coimbra); Petronilha Beatriz Gonçalves e Silva (UFSCAR); Renato Emerson dos Santos (UERJ); Maria Nazareth Soares Fonseca (PUC Minas); Kabengele Munanga (USP)

EDITORAS RESPONSÁVEIS
Rejane Dias
Cecília Martins

REVISÃO
Rosemara Dias dos Santos
Bruna Emanuele Fernandes

CAPA
Alberto Bittencourt (sobre imagem Máscara dos gêmeos, *do grupo mblo © Prestel, Munique, Nova York, 1997)*

DIAGRAMAÇÃO
Camila Sthefane Guimarães
Guilherme Fagundes

Dados Internacionais de Catalogação na Publicação (CIP)
(Câmara Brasileira do Livro, SP, Brasil)

Munanga, Kabengele
  Rediscutindo a mestiçagem no Brasil : identidade nacional versus identidade negra / Kabengele Munanga. -- 5. ed. rev. amp.; 4. reimp. -- Belo Horizonte : Autêntica, 2024. -- (Coleção Cultura Negra e Identidades)

  ISBN 978-85-513-0601-7

  1. Características nacionais brasileiras 2. Identidade social - Brasil 3. Mestiçagem 4. Mestiçagem - Brasil 5. Negros - Brasil - Identidade racial I. Título. II. Série.

19-25944　　　　　　　　　　　　　　　　　　　　　　　　　　CDD-305.800981

Índices para catálogo sistemático:
1. Brasil : Identidade nacional : Aspectos sociais 305.800981
2. Brasil : Identidade negra : Relações raciais : Aspectos sociais 305.800981
3. Brasil : Mestiçagem : Etnologia cultural : Sociologia 305.800981

Iolanda Rodrigues Biode - Bibliotecária - CRB-8/10014

Belo Horizonte
Rua Carlos Turner, 420
Silveira . 31140-520
Belo Horizonte . MG
Tel.: (55 31) 3465 4500

São Paulo
Av. Paulista, 2.073 . Conjunto Nacional
Horsa I . Sala 309 . Bela Vista
01311-940 . São Paulo . SP
Tel.: (55 11) 3034 4468

www.grupoautentica.com.br
SAC: atendimentoleitor@grupoautentica.com.br

*Ao professor João Baptista Borges Pereira, cuja amizade
e engajados ensinamentos marcaram significativamente
meu processo de conscientização sobre o racismo à moda
brasileira e sobre o dilema da população afrodescendente.*

SUMÁRIO

9   Apresentação à quinta edição
        Nilma Lino Gomes

15   Prefácio
        Teófilo de Queiroz Júnior

19   Introdução

23   **Conceito e história da mestiçagem**
        As ambiguidades do conceito
        A mestiçagem na história da humanidade
        A mestiçagem na história do pensamento
        Os séculos XIX e XX e a questão da mistura das raças na doutrina nórdica
        Ideologias da mestiçagem

53   **A mestiçagem no pensamento brasileiro**

85   **Ambiguidade de raça/classe e a mestiçagem como mecanismos de aniquilação da identidade negra e afro-brasileira**

91   **Mestiçagem contra pluralismo**

99   **Mestiçagem como símbolo da identidade brasileira**

111 **Mestiçagem e políticas afirmativas no Brasil do século XXI**
        Mestiçagem e discursos contra as políticas afirmativas
        Mestiçagem e fraudes das vagas para cotistas
        Mestiçagem e colorismo

133 **Conclusão**

151 **Referências**

Apresentação à quinta edição

A edição atualizada do livro *Rediscutindo a mestiçagem no Brasil*, do professor Kabengele Munanga, é realizada em um momento de mudanças expressivas na sociedade brasileira e no contexto das relações étnico-raciais. O autor relê seu livro e neste insere novas análises, considerando o período de vinte anos que separam esta publicação da sua primeira edição, em 1999.

Ao longo desses vinte anos, o Brasil viveu um processo de aperfeiçoamento do Estado Democrático de Direito, em especial no período entre 2003 e o início de 2016, quando governos de esquerda comprometidos com a superação das desigualdades e sensíveis às demandas dos movimentos sociais assumiram o governo federal e os de alguns estados e municípios. De 2016 até o ano desta nova edição, a sociedade brasileira vem passando por um sério momento, em que sua democracia tem sido posta em risco.

O ano de 1999 foi um ano que representou não só a entrada no século XXI como, também, uma mudança significativa nas lutas do Movimento Negro em prol dos direitos da população negra e do combate ao racismo. A partir dos anos 2000, assistimos o Estado brasileiro ser pressionado pelo Movimento Negro, pelos movimentos sociais aliados da luta antirracista e pelos próprios dados oficiais sobre as desigualdades raciais coletados pelo Instituto Econômico de Pesquisa Aplicada (IPEA) a assumir internacionalmente, por meio de sua diplomacia, durante a Conferência de Durban, em 2001, na África do Sul, que existia racismo no Brasil e, em decorrência disso, comprometer-se a implementar políticas de ações afirmativas para a superação desse fenômeno perverso.

Essa vitória do Movimento Negro e de todas e todos que lutam por um país democrático e por uma sociedade que se construa e se reconstrua antirracista e antissexista possibilitou mudanças significativas no campo da igualdade racial. Vivenciamos a implementação de uma série de políticas de ações afirmativas com o foco no combate ao racismo na esfera federal, nas administrações estaduais, municipais e distrital, bem como no campo jurídico e legislativo. As universidades públicas estaduais e federais foram pressionadas e indagadas pelo Movimento Negro e demais movimentos aliados da luta antirracista a se posicionarem diante da sub-representação de jovens negros no ensino superior, comprovada por dados oficiais. Várias dessas instituições passaram a adotar políticas acadêmicas para populações negras e indígenas como medidas de democratização do acesso e de permanência da juventude negra nesses espaços.

Programas de dotação para a pesquisa de fundações internacionais, editais voltados para a implementação de ações afirmativas, o fortalecimento dos estudantes cotistas e o financiamento de pesquisas com a temática racial e africana foram instaurados. Mais núcleos de estudos afro-brasileiros passaram a se constituir nas universidades e faculdades públicas e privadas, e uma organização de pesquisa voltada para as questões afro-brasileiras e africanas nas diversas áreas do conhecimento foi organizada – a Associação Brasileira de Pesquisadores(as) Negros(as) (ABPN), a qual passou a realizar, bianualmente, o Congresso Brasileiro de Pesquisadores Negros (COPENE).

Nesse contexto, algumas ações institucionais também foram criadas por meio de políticas públicas, e merecem destaque: em 2003, tivemos a sanção presidencial da Lei 10.639/03, que alterou a Lei de Diretrizes e Bases da Educação Nacional (LDB 9.394/96), instituindo a obrigatoriedade do ensino de história e cultura africana e afro-brasileira nas escolas de Educação Básica. Também nesse mesmo ano, tivemos a aprovação do Decreto 4.887/03, que regularizou o procedimento de reconhecimento das terras e territórios quilombolas em atendimento ao artigo 68 das Disposições Constitucionais Transitórias da Constituição Federal de 1988.

Naquele mesmo ano, o Brasil teve, pela primeira vez, um órgão voltado para a superação do racismo, a Secretaria de Políticas de Promoção da Igualdade Racial (SEPPIR), e o Ministério da Educação (MEC) passou a contar com a Secretaria de Educação Continuada, Alfabetização e Diversidade (SECAD). Lamentavelmente, essas duas medidas importantes para a garantia de políticas de igualdade e de equidade racial na sociedade brasileira, principalmente no campo da educação, sofreram ataques conservadores em 2019. A SEPRIR perdeu seu status de secretaria e foi totalmente descaracterizada, e a SECAD foi extinta.

Em 2010, após longos anos de tramitação, foi aprovado, pela Lei 12.288/10, o Estatuto da Igualdade Racial. Em 2012, o Supremo Tribunal Federal (STF) aprovou, por unanimidade, o princípio constitucional das ações afirmativas. Essa decisão impulsionou a aprovação da Lei 12.711/12, que instituía uma política de cotas para ingresso de estudantes autodeclarados pretos, pardos e indígenas nas universidades e demais instituições federais de ensino técnico de nível médio, bem como a Lei 12.990/14, que reserva aos negros 20% das vagas oferecidas nos concursos públicos para provimento de cargos efetivos e empregos públicos no âmbito da administração pública federal, das autarquias, das fundações públicas, das empresas públicas e das sociedades de economia mista controladas pela União, que, por sua vez, estimulou também iniciativas semelhantes nos estados e municípios brasileiros.

Essa rápida síntese das mudanças da sociedade brasileira na construção de uma agenda política antirracista só foi possível devido à ação incansável do Movimento Negro, que, de forma arguta e sensível, lutou para transformar as suas denúncias históricas em políticas de Estado. Há uma inflexão nas estratégias de luta do Movimento Negro, de mulheres negras, quilombola e da juventude negra. Passamos a contar não mais com negras e negros organizados de forma coletiva ou individualmente e denunciando o racismo, mas explicitando-o por meio de evidências concretas e cobrando dos governos democráticos que assumiram o Estado brasileiro de 2003 ao início de 2016 um posicionamento coerente com os compromissos sociais assumidos durante as campanhas e, principalmente, com a meta de superação do racismo assumida internacionalmente durante a Conferência de Durban.

Os anos 2000 também se apresentaram como um momento de desvelamento da realidade do racismo e da desigualdade racial brasileira, expostos pelas próprias pesquisas realizadas pelos institutos oficiais ligados ao governo federal e pelas investigações acadêmicas, principalmente aquelas conduzidas por um grupo de pesquisadoras e pesquisadores negros pertencentes às Instituições do Ensino Superior (IES) públicas e privadas.

Contudo, esse processo não foi simples, e as políticas e decisões adotadas nem sempre foram recebidas de forma amistosa e pacífica. Muitas opiniões, ações, ataques contrários à adoção de medidas e políticas de combate ao racismo foram desencadeados por setores contrários, grupos conservadores, eminentes antropólogos e sociólogos não-negros – alguns dos quais construíram sua carreira de sucesso pesquisando sobre relações raciais, racismo e cultura negra –, além de artistas e políticos.

Mas o que possibilitou essa reação tão adversa ao avanço político e institucional das ações afirmativas como medidas de superação do racismo na sociedade brasileira? Por que essa reação contrária tão inflamada, capaz de produzir manifestos contrários assinados por pessoas que escreviam e/ou cantavam em verso e prosa a beleza da diversidade cultural, étnica e racial brasileira?

A resposta já foi dada pelo professor Kabengele Munanga na primeira edição deste livro: "A grande explicação para essa dificuldade que os movimentos negros encontram e terão de encontrar, talvez por muito tempo, não está na sua incapacidade de natureza discursiva, organizacional ou outra. Está, sim, nos fundamentos da ideologia racial elaborada a partir do fim do século XIX a meados do século XX pela elite brasileira. Essa ideologia, caracterizada entre outros pelo ideário do branqueamento, roubou dos movimentos negros o ditado 'a união faz a força' ao dividir negros e mestiços e ao alienar o processo de identidade de ambos" (p. 19).

E o autor ainda adverte: "O racismo universalista, teoricamente, não se opôs à mestiçagem como também não desenvolveu uma mixofobia. A miscigenação lhe oferecia o caminho para afastar a diferença ameaçadora representada pela presença da 'raça' e da cultura negra na sociedade" (p. 132).

As atitudes hostis acadêmicas e políticas diante das ações afirmativas e das mudanças que elas realizaram na sociedade e, principalmente, no que diz respeito ao acesso de jovens negros às universidades inspirou e exigiu do professor Kabengele Munanga a atualização deste livro.

Assim, a obra tal como ora vem a público apresenta um novo capítulo e novas considerações nas conclusões, a fim de discutir questões como: quem o é negro que na sociedade brasileira tida como mestiça poderia ser beneficiado pelas cotas? Essas políticas que beneficiariam os negros não suprimiriam a categoria mestiça, demograficamente a mais numerosa, e não traria de volta a ideia de raça e, consequentemente, os conflitos raciais que o Brasil atualmente desconhece?

Aquelas e aqueles que acompanham a trajetória do autor são testemunhas do quanto ele se posicionou pública e corajosamente no contexto do debate a favor e contra as ações afirmativas, travado ao longo dos vinte anos decorridos desde a primeira edição deste livro. O professor Kabengele Munanga é responsável por uma produção epistemológica densa, colocando-se publicamente a favor das ações afirmativas, desvelando as falácias do uso ideológico sobre a mestiçagem, expondo os privilégios e os interesses da branquitude e indagando as reais intenções do debate sobre quem é negro e quem é branco no Brasil, debate esse que invadiu com outros contornos, mas sempre de forma conservadora, a academia, a mídia e as conversas cotidianas.

Esse posicionamento rendeu a Kabengele críticas contundentes, as quais ele respondeu com seriedade e de forma epistemológica e política. Nesse momento, faço um *mea-culpa* da nossa ausência de posicionamento como intelectuais negras e negros, de maneira coletiva e explícita, aos ataques sofridos pelo professor. Demoramos demais para nos organizarmos e dar uma resposta a eles. Não que o professor não soubesse se defender sozinho, mas, devido a sua importância intelectual e política para a intelectualidade negra, para a comunidade negra organizada e para todos aqueles que lutam contra o racismo no Brasil e em outros lugares do mundo, um posicionamento nosso se fazia necessário. As críticas duras e maniqueístas a ele dirigidas eram também a todos nós, negras e negros, que nos posicionamos contra o racismo.

Mas, como um guerreiro não foge à luta, ele não esperou por ninguém. O próprio professor Kabengele fez a sua defesa de forma pública, escrita com um brilhantismo acadêmico próprio dele, e a circulou pela internet, silenciando os seus adversários políticos e acadêmicos. Sua resposta foi compartilhada por um enorme número de pessoas e, certamente, chegou aos seus detratores. Sim, detratores, porque quem acompanhou esses momentos de tensão pelos quais ele passou é testemunha de que não houve um debate público de ideias ou de posições teóricas que permitisse ao professor Kabengele o direito de resposta nos mesmos meios de comunicação que prontamente divulgaram a crítica negativa e injusta à sua produção teórica e ao seu posicionamento político.

Houve, sim, o uso de espaços midiáticos hegemônicos e da branquitude, nos quais restringe-se o posicionamento de intelectuais negras e negros. Esses mesmos meios que, historicamente, mobilizam negativamente a opinião pública, divulgam reportagens distorcidas, privilegiam a versão e a interpretação das forças hegemônicas e capitalistas diante das questões polêmicas e cruciais para o país e, quando denunciados, escondem-se atrás do discurso em defesa do direito à liberdade de expressão e do não cerceamento da mídia.

Parafraseando a autora Célia Maria Marinho de Azevedo, vivemos um outro momento do negro no imaginário das elites, ou seja, o restabelecimento do *medo branco* no século XXI, provocado pela *onda negra* que, aos poucos, vem conquistando lugares de afirmação política, acadêmica e instando o Estado a implementar ações afirmativas no Brasil como políticas de Estado e de direito.

Por isso, o momento atual é oportuno para uma edição atualizada do presente livro, que é realizada no contexto das políticas de ações afirmativas e da implementação das cotas, e traz as considerações do autor sobre as fraudes e as discussões sobre o colorismo. Kabengele interpreta essas mudanças à luz da questão da mestiçagem, considerando as suas representações e os usos político-ideológicos no Brasil do século XXI, e se posiciona de maneira pessoal, firme e contundente, como é uma marca da sua personalidade, do seu fazer político e do seu modo de produzir conhecimento.

A presente edição também se dá em um outro momento: vivemos tempos de perplexidade e retrocessos na nossa sociedade desde as eleições de 2018. Instaurou-se, no país, um governo autoritário, que caminha na contramão da implementação de políticas sociais e de ações afirmativas.

A contextualização do debate mais recente sobre a mestiçagem em tempos de novos ataques às políticas de ações afirmativas e ao Estado Democrático de Direito poderá nos ajudar a compreender melhor esse novo momento histórico. A rediscussão da mestiçagem continua atual e apresenta novos contornos no contexto da ideologia do branqueamento, da branquitude e do racismo ambíguo brasileiro.

Nilma Lino Gomes
Professora Titular da Faculdade de Educação da UFMG

Prefácio

Rediscutir a mestiçagem na sociedade brasileira é uma disposição que atesta competência científica e expressa responsabilidade social. Essa, porque põe a nu o real objetivo com que se tolera a mistura de brancos com não brancos – asiáticos, índios, mas particularmente negros –, o branqueamento de nossa população. Com isso, contribui para a autoconscientização e consequente autovalorização do negro, como tal. Já a competência científica foi reconhecida nesse estudo do Dr. Kabengele Munanga, originalmente uma tese acadêmica, de seu concurso de livre-docente, junto ao Departamento de Antropologia da Faculdade de Filosofia, Letras e Ciências Humanas da Universidade de São Paulo. Defendida com brilho e aprovada como excelente por unanimidade, a tese ultrapassa, agora como livro, os limites do meio acadêmico para ficar acessível aos interessados e estudiosos em geral desse problema brasileiro, que não perde atualidade.

Equacionada com clareza, tratada com material copioso e manipulada com rigor metodológico por um antropólogo, a análise penetrante vai ao âmago do problema.

O período estudado vai do século XIX à primeira metade do século XX, revelando o direcionamento, as possibilidades e os efeitos, ainda não esgotados, da mestiçagem com os condicionamentos exercidos sobre ela pelas duas grandes conquistas nacionais dos oitocentos: Independência e Abolição. Conquistas que suscitaram a redefinição da presença do negro e a reposição de seu significado na sociedade brasileira, a qual se pretendia branca, cristã, europeizada. Isso, no entanto, se apoiava no pensamento de estrangeiros, que, embora eivado de falhas e distorções, aqui chegava com aura de ciência e era acolhido como verdade inconteste.

Foi só depois de algumas décadas após o século XX que foram feitas correções a respeito, possibilitadas pelas conquistas das ciências sociais no trato desse processo.

Ao autor não escaparam as vozes, quase sempre isoladas e, muitas vezes, clamando no deserto, que apontaram erros e inconveniências nos "princípios" em que se apoiava a ideologia da mestiçagem entre nós.

Proclamada por alguns como prejudicial à formação física, mental e moral do povo brasileiro, pela má contribuição do componente negro; reconhecida por outros como vantajosa, democrática e até humanitária, faltou sempre aos homens brasileiros de saber e de poder o reconhecimento dos prejuízos que a mestiçagem vem causando ao negro no Brasil.

Cultivada e proclamada por décadas, a falácia de nossa "democracia racial" vem sendo reforçada pela ausência de conflitos entre brancos e negros, fato que só o peso de exames objetivos e minuciosos, como esse, pode contribuir para esclarecer.

É precisamente a explicação do avesso dessa "democracia racial" que os estudos de competentes cientistas sociais brasileiros e estrangeiros também têm tomado por alvo. E, graças a essas investigações, vai-se tornando compreensível o porquê da tolerância, "em teoria", do "racismo universalista" para com a mestiçagem, que dilui a linha demarcatória entre brancos e negros. Ela serve bem para projetar o mulato, dissimulando o preto e ampliando arbitrariamente o branco, no "antirracismo diferencionalista", opondo-se a esse, na busca de um igualitarismo efetivamente democrático.

Ponderações feitas pelo autor sobre as formas e peculiaridades das relações entre brancos e negros na África do Sul, ao tempo do *apartheid*, e nos Estados Unidos, ainda hoje, reforçam a nitidez dos contornos e conteúdos de nosso processo de mestiçagem. Ele continua em curso e não vislumbra sua cessação, mas, assim como tem sido aproveitado em favor do branco, poderá deixar de ser aproveitado em desvantagem para o negro. E, para tanto, conforme convicção de Kabengele Munanga, declarada já de início, é indispensável uma nova ideologia, capaz de promover uma nova consciência na população negra brasileira. Com isso, advirá uma autodefinição e sua correspondente autoidentificação do negro, capaz de livrá-lo da passiva aceitação de superioridade do branco. Poderá também equipá-lo para resistir à tentação de ser mulato, poupando este último da ânsia de parecer branco.

Será a forma de conquista de uma sociedade brasileira constituída como "democracia verdadeiramente plurirracial e pluriétnica", pelo que se vem empenhando, nas últimas décadas, "o mundo afro-brasileiro", com o apoio pessoal e teórico de cientistas sociais.

Num tal quadro é que se destaca Kabengele Munanga e se torna relevante essa sua contribuição.

Teófilo de Queiroz Júnior

Introdução

Todos os movimentos sociais, incluído o dos negros, lutam pela justiça social e por uma redistribuição equitativa do produto coletivo. Numa sociedade hierarquizada como a brasileira, todos encontram dificuldades para mobilizar seus membros em torno da luta comum para transformar a sociedade.

Os movimentos operários ainda não conseguiram mobilizar todos os seus membros, vítimas das relações de trabalho e de produção dentro da sociedade capitalista, ainda menos no seio de um capitalismo periférico, de escassa cidadania como o brasileiro. Os movimentos feministas terão de lutar muito tempo ainda para tirar milhões de mulheres dos lugares e posições a elas predestinados pelas culturas machistas de todas as sociedades humanas. Os movimentos homossexuais terão de percorrer uma longa caminhada para conseguirem a legitimidade e direitos iguais aos das uniões heterossexuais, consideradas como as únicas naturais e normais, em todas as culturas e de suas respectivas religiões e visões de mundo.

Mas, se o ditado "a união faz a força" é tão velho como a própria humanidade, de onde provêm as dificuldades encontradas por esses movimentos? No caminho da luta pela mobilização e conscientização de seus membros, grandes vítimas da sociedade, os movimentos sociais encontram numerosos obstáculos, como a inércia e as forças das ideologias e das tradições, passadas e presentes, entre outros. Remover esses obstáculos exige a construção de novas ideologias, capazes de atingir as bases populares e convencê-las de que, sem adesão às novas propostas, serão sempre vítimas fáceis da classe dominante e de suas ideologias.

A construção dessa nova consciência não é possível sem colocar no ponto de partida a questão de autodefinição, ou seja, da autoidentificação dos membros do grupo em contraposição com a identidade dos membros do grupo "alheio".

Uma tal identificação – ("quem somos nós?" – "de onde viemos e aonde vamos?" – "qual é a nossa posição na sociedade?"; "quem são eles?" – "de onde vieram e aonde vão?" – "qual é a posição deles na sociedade?") – vai permitir o desencadeamento de um processo de construção de sua identidade ou personalidade coletiva, que serve de plataforma mobilizadora.

Essa identidade, que é sempre um processo e nunca um produto acabado, não será construída no vazio, pois seus constitutivos são escolhidos entre os elementos comuns aos membros do grupo: língua, história, território, cultura, religião, situação social etc. Esses elementos não precisam estar concomitantemente reunidos para deflagrar o processo, pois as culturas em diáspora têm de contar apenas com aqueles que resistiram, ou que elas conquistaram em seus novos territórios.

No que diz respeito aos movimentos negros contemporâneos, eles tentam construir uma identidade a partir das peculiaridades do seu grupo: seu passado histórico como herdeiros dos escravizados africanos, sua situação como membros de grupo estigmatizado, racializado e excluído das posições de comando na sociedade cuja construção contou com seu trabalho gratuito, como membros de grupo étnico-racial que teve sua humanidade negada e a cultura inferiorizada. Essa identidade passa por sua cor, ou seja, pela recuperação de sua negritude, física e culturalmente. A tarefa não é fácil, justamente por causa dos obstáculos acima evocados. Se Zumbi dos Palmares conseguiu, há mais de 300 anos, mobilizar números expressivos de escravizados fugitivos das senzalas e organizou uma oposição que se concretizou na fundação da República dos Palmares, como explicar que os movimentos negros ulteriores a ele não conseguem realizar uma mobilização de igual ou superior envergadura? No entanto, eles têm em suas fileiras intelectuais orgânicos, contam com a solidariedade de estudiosos e cientistas sociais brancos, comprometidos com a questão da igualdade racial, além da solidariedade internacional e, muito recentemente, com o apoio de alguns partidos políticos e da imprensa escrita e audiovisual, cujas denúncias das situações de discriminação se multiplicam cada vez mais.

Apesar de algumas conquistas, simbólicas e concretas, como, por exemplo, o reconhecimento oficial de Zumbi dos Palmares como herói nacional, "herói negro dos brasileiros", os movimentos negros ainda não conseguiram mobilizar todas as suas bases populares e inculcar-lhes o sentimento de uma identidade coletiva, sem a qual não haverá uma verdadeira consciência de luta.

A grande explicação para essa dificuldade que os movimentos negros encontram e terão de encontrar, talvez por muito tempo, não está na sua incapacidade de natureza discursiva, organizacional ou outra. Está, sim, nos fundamentos da ideologia racial elaborada a partir do fim do século XIX a meados do século XX pela elite brasileira. Essa ideologia, caracterizada entre outros pelo ideário do branqueamento, roubou dos movimentos negros o ditado "a união faz a força" ao dividir negros e mestiços e ao alienar o processo de identidade de ambos.

Reabrir a discussão sobre os fundamentos dessa ideologia e sobre o conteúdo simbólico e político da mestiçagem tida como um de seus legados, dentro do contexto atual marcado pelos esforços constantes em busca e em defesa das identidades múltiplas, constitui o objetivo central deste trabalho. É como se estivéssemos atribuindo novos papéis aos velhos conhecidos e velhos papéis aos novos conhecidos! Formulamos a hipótese e logo a tese de que o processo de formação da identidade nacional no Brasil recorreu aos métodos eugenistas, visando o embranquecimento da sociedade. Se o embranquecimento tivesse sido (hipoteticamente) completado, a realidade racial brasileira teria sido outra. No lugar de uma sociedade totalmente branca, ideologicamente projetada, nasceu uma nova sociedade plural constituída de mestiços, negros, índios, brancos e asiáticos, cujas combinações em proporções desiguais dão ao Brasil seu colorido atual.

Apesar de o processo de branqueamento físico da sociedade ter fracassado, seu ideal inculcado através de mecanismos psicológicos ficou intacto no inconsciente coletivo brasileiro, rodando sempre nas cabeças dos negros e mestiços. Esse ideal prejudica qualquer busca de identidade baseada na "negritude e na mestiçagem", já que todos sonham ingressar um dia na identidade branca, por julgarem superior.

As dificuldades dos movimentos negros em mobilizar todos os negros e mestiços em torno de uma única identidade "negra" viriam do fato de que não conseguiram destruir até hoje o ideal do branqueamento. Algumas vozes nacionais estão tentando, atualmente, encaminhar a discussão em torno da identidade "mestiça", capaz de reunir todos os brasileiros (brancos, negros, mestiços). Vejo nessa proposta uma nova sutileza ideológica para recuperar a ideia da unidade nacional não alcançada pelo fracassado branqueamento físico. Essa proposta de uma nova identidade mestiça, única, vai na contramão dos movimentos negros e outras chamadas minorias, que lutam para a construção de uma sociedade plural e de identidades múltiplas. Algumas correntes dos movimentos negros preferem utilizar a expressão "afrodescendentes" ou "identidade afrodescendente", sugerindo, implicitamente, que essa seja capaz de criar o consenso e a unidade que a identidade "negra" ou "mestiça" não consegue cristalizar.

Abraçar a ideia de uma identidade mestiça não significaria retirar e negar a solidariedade aos poucos negros e índios indisfarçáveis, aos orientais e minorias brancas que têm direito de se achar diferentes? Não significaria cair numa nova armadilha ideológica? Eduardo de Oliveira e Oliveira, mestiço, ideologicamente militante negro assumido, vítima de ambiguidade nele simbolizada, tinha certa razão ao intitular um de seus artigos: *O mulato, um obstáculo epistemológico*.

Conceito e história da mestiçagem

As ambiguidades do conceito

A mestiçagem, do ponto de vista populacionista, é um fenômeno universal ao qual as populações ou conjuntos de populações só escapam por períodos limitados. É concebida como uma troca ou um fluxo de genes de intensidade e duração variáveis entre populações mais ou menos contrastadas biologicamente. E entende-se por população um conjunto de indivíduos que se reproduzem habitualmente entre si; um conjunto definido biologicamente e não *a priori*.[1] O fenômeno da mestiçagem, analisado do ponto de vista populacionista, parece-me ter menos implicações ideológicas do que na abordagem raciologista.

Com efeito, o raciologista se interessa principalmente pela mestiçagem entre as "grandes raças" definidas *a priori*. A própria natureza de sua abordagem leva-o, muitas vezes, a invocar a mestiçagem quando seu método (baseado na divisão da espécie humana em grandes raças) coloca-lhe problemas. Nesse caso, a mestiçagem serve-lhe para encobrir as rachas de seu edifício. Ele dirá que, se sua nomenclatura das variações é imperfeita, é porque os tipos "puros" dos tempos antigos foram obnubilados pela mestiçagem entre as grandes raças originais.[2]

---

[1] VINCKE, Edouard. *Géographes et Hommes D'ailleurs*. Commission Française de la Culture de l'Aglomération de Bruxelles. Collection Document, n. 28, Bruxelas, 1985, p. 27.

[2] VINCKE, Edouard. *Op. cit., ibidem*.

Embora não concordemos com essa abordagem raciologista, é sobre ela que se dará o maior enfoque do nosso trabalho, por causa dos pressupostos ideológicos por ela introduzidos e que até hoje dominam nos estudos sobre a mestiçagem. O que significaria ser "branco", ser "negro", ser "amarelo" e ser "mestiço" ou "homem de cor"? Para o senso comum, essas denominações parecem resultar da evidência e recobrir realidades biológicas que se impõem por si mesmas. No entanto, trata-se, de fato, de categorias cognitivas largamente herdadas da história da colonização, apesar da nossa percepção da diferença situar-se no campo do visível. É através dessas categorias cognitivas, cujo conteúdo é mais ideológico do que biológico, que adquirimos o hábito de pensar nossas identidades sem nos darmos conta da manipulação do biológico pelo ideológico.[3]

Vista sob esse prisma, a mestiçagem não pode ser concebida apenas como um fenômeno estritamente biológico, isto é, um fluxo de genes entre populações originalmente diferentes. Seu conteúdo é de fato afetado pelas ideias que se fazem dos indivíduos que compõem essas populações e pelos comportamentos supostamente adotados por eles em função dessas ideias. A noção da mestiçagem, cujo uso é ao mesmo tempo científico e popular, está saturada de ideologia. Por isso, seria importante, antes de qualquer análise, deixar claras as diversas conotações.

Objetivamente, em relação às demais populações, as mestiçadas não apresentam diferenças de natureza. Se toda e qualquer mestiçagem é um processo pelo qual um fluxo gênico aproxima duas populações, pode-se constatar que os estudos clássicos só trataram de alguns casos no conjunto dos fluxos que se estabeleceram de uma população à outra e excluíram implicitamente outros casos. Ou seja, houve uma grande tendência em utilizar o termo apenas quando a visibilidade imediata da diferença fenotípica entre duas populações provocava a percepção de uma distância biológica a atravessar. Uma tal tendência considera certas diferenças e oculta outras, a partir de uma divisão que ela opera no seio do *continuum* da variabilidade biológica humana. A noção da mestiçagem parece mais ligada à percepção de senso comum do que ao substrato genético. Essa percepção é a de uma distância que pode ser biológica, mas que pode também corresponder a uma distância cultural

---

[3] BONNIOL, Jean-Luc. *La Couleur comme maléfice. Une Illustration créole de la généalogie des Blancs et des Noirs*. Paris: Editions Albin Michel, S. A. 1992, p. 11

biologizada.[4] Por isso, é possível afirmar, de modo geral, que o antropólogo estudioso da mestiçagem parte, sem se dar conta, de afirmações não apoiadas em fatos biológicos, mas sim na interpretação sociológica desses fatos. É em função dessa última que podemos entender por que, para os países da América Latina, as diversas situações da mestiçagem são detalhadas, enquanto que, para os Estados Unidos, o grupo mestiço euro-africano não é considerado. A classificação racial naquele país contempla somente os grupos ameríndio, asiático, branco e negro. Nos Estados Unidos, o grupo mestiço não é individualizado como tal, nem na mentalidade coletiva, nem na prática social, nem nos textos legais. Os recenseamentos demográficos oficiais contabilizam somente brancos e negros, o que mostra que as categorias "branco" e "negro" não são apenas biológicas, mas também sociopolíticas. O grupo afro-americano é apresentado como um grupo homogêneo social negro. Nele está incorporado um importante componente genético de origem europeia, pois muitos dos chamados negros americanos têm mais ancestrais europeus do que africanos. Mas, a sociedade dominante utiliza a regra de hipodescendência, isto é, a filiação ao grupo inferiorizado e não ao superiorizado.[5] Basta ser um pouco negro para sê-lo totalmente, mas para ser branco é necessário sê-lo totalmente. Esse esquema obedece a um determinismo sociopolítico e não biológico. A percepção das variações dos fenótipos ou da aparência física é fechada numa categoria dicotômica bastante rígida, que reflete bem a distância social entre os dois grupos.

A visão raciologista da mestiçagem combinada ao determinismo biológico desembocou no alargamento do seu campo conceitual, recobrindo, simultaneamente, a hibridez do patrimônio genético e os processos de transculturação entre grupos étnicos cujos membros estão envolvidos na mestiçagem, embora os dois fenômenos não sejam necessariamente concomitantes e interligados.[6] A visão populacionista

---

[4] BENOIST, J. Le métissage. In: D. Frembach et Coll. *L'homme, son évolution, sa diversité. Manuel d'Anthropologie Physique*. Paris, Editions du C.N.R.S. et Douin Editeurs, 1986, p. 145-146.

[5] HARRIS, M. *Pattern of race in the America*. Nova York, Walter, 1964.

[6] ALENCASTRE, Luiz Felipe de. Geopolítica da mestiçagem. *In: Novos estudos* CEBRAP, n. 11, janeiro de 1985, São Paulo, p. 51.

possibilita distinguir a mestiçagem biológica – a miscigenação – das interações sociais que dão lugar a situações de transculturação.

> Enquanto a miscigenação refere-se geralmente a relações triádicas no interior das quais a especificidade do mestiço rompe com a dualidade dos fenômenos característicos de seus dois ascendentes imediatos, a aculturação coloca em interação recíproca dois ou mais grupos distintos.[7]

Além da confusão entre o conceito biológico de miscigenação e o cultural de transculturação ou aculturação, o fenômeno de hibridade é designado por uma polissemia terminológica segundo as nações, as regiões, as classes sociais e as situações particulares de linguagem. Segundo o *Littré*, *mestiço* designa o indivíduo nascido da relação sexual entre um branco e uma índia ou entre um índio e uma branca. O *mulato* designa o indivíduo nascido da relação entre um branco e uma negra, ou de um negro e uma branca. As conclusões tiradas das sondagens nos dicionários e enciclopédias do século XVIII ilustram as dificuldades de encontrar-se um termo geral capaz de recobrir a diversidade dos casos de hibridade, sendo o termo mestiço reservado somente à mistura espanhol/índio e mulato, à mistura branco/negro. Daí a utilização das expressões "sangue misturado" e "homem de cor" para preencher aquela lacuna.

É importante sublinhar os preconceitos raciais associados a essa diversidade de definições. Com efeito, o caráter híbrido e a ambiguidade do mestiço são ressentidos como incômodos. O termo "mulato", do espanhol *mulo*, tem nitidamente uma conotação mais pejorativa do que o termo "mestiço", pois, no século XVIII, os índios tiveram uma certa revalorização através do mito do bom selvagem de J. J. Rousseau e da aceitação das civilizações incas e maias. A etimologia é um pretexto cômodo para insistir sobre o aspecto animal do fenômeno. Mais tarde, nota-se uma certa evolução da enciclopédia e seus suplementos, caracterizada pela passagem de uma concepção negativa (a hibridade animal, consequência da imoralidade de alguns brancos) a uma concepção positiva (sendo o mestiço considerado como um indivíduo fisicamente mais vigoroso).

---

[7] ALENCASTRE, Luiz Felipe de. *Op. cit., ibidem.*

É provável, segundo alguns autores, que essa versão positiva se deva a motivos econômicos e políticos: o mulato livre era um consumidor, além de ajudar na repressão e na captura dos escravos fugitivos.[8]

Neste trabalho, utilizaremos o conceito de "mestiçagem" para designar a generalidade de todos os casos de cruzamento ou miscigenação entre populações biologicamente diferentes, colocando o enfoque principal de nossas análises não sobre o fenômeno biológico enquanto tal, mas sim sobre os fatos sociais, psicológicos, econômicos e político-ideológicos decorrentes desse fenômeno biológico inerente à história evolutiva da humanidade. Seria totalmente errôneo representar graficamente essa história sob a forma de uma árvore e suas ramificações. Pois bem, se as ramificações de uma árvore representada por seus inúmeros galhos não se cruzam, a história da humanidade apresenta um gráfico diferente, no qual os galhos se cruzam.

A mestiçagem na história da humanidade

O Egito Antigo, em diversas épocas de sua história, foi invadido pelos povos asiáticos (persas, sírios, fenícios etc.) e greco-romanos. Impossível não acreditar nos cruzamentos entre invasores e populações locais e até mesmo entre as classes dirigentes. As figuras polêmicas de Cleópatra, Tutankhamon, Ramsés II, consideradas negroides por alguns egiptólogos e arqueólogos e contestadas por outros, ilustram essa remota mestiçagem.[9]

Na Grécia Clássica, a mestiçagem é também um fato antigo. Acontecia até entre os membros das classes dirigentes vencidas e vencedoras que, por razão política, segundo nos dizem os historiadores, buscavam a fusão entre os membros das aristocracias dominantes.[10] No plano cul-

---

[8] DIDIER, Béatrice. Le Métissage de l'Encyclopédie à la Révolution: de l'Anthropologie à la Politique. In: *Métissage* – Tome I: Cahiers Crlh-Ciraoi, n. 7, 1991, p. 13.

[9] Ver a esse respeito os estudos polêmicos de DIOP, Cheikh Anta, entre outros: *Nations Nègres et Cultures*. Paris, Présence Africaine, 1954; The African Origin of Civilization: Myth or Reality. Nova York; Wesport, Lawrence Hill Company, 1974; Civilisation ou Barbarie. Paris, Présence Africaine, 1981.

[10] WILL, E. Le monde Hellénistique. In: E. Will, C. Mosse e P. Goukowsky. *Le Monde grec de l'Orient II. Le IV^{éme} siècle et l'époque hellénistique*. Paris, 1975, p. 430-434.

tural, foi a ocasião de uma descoberta mais aprofundada do "outro" (fosse ele judeu, romano ou iraniano), de um acolhimento das divindades orientais e de uma adesão às filosofias universalistas. Foi um momento durante o qual o alargamento dos horizontes levava à procura de outras referências. Mesmo considerando o paradigma da unidade universal, a mestiçagem étnica não criava problema na Grécia Antiga, pois o importante era pertencer a uma cultura. Num tal contexto, o "sangue" não tem importância. Ser grego é aderir a um certo modo de pensamento que torna o indivíduo plenamente livre, por intermédio dos conceitos forjados pela língua grega.[11]

A mesma conclusão aplica-se ao mundo romano, pois o Império Romano foi uma civilização mestiça, como o demonstram não apenas as pesquisas no campo da onomástica e da antropologia física, como também o eco das proclamações de ideólogos importantes, como Cícero e Virgílio, e a ação voluntarista de numerosos chefes de Estado, como Júlio César, Cláudio e Caracala.[12] A mestiçagem no mundo romano foi uma realidade indiscutível, a tal ponto que o conde Joseph Arthur de Gobineau, autor do ensaio sobre a desigualdade das raças humanas, apoiou-se largamente nela para explicar a queda das civilizações. No entanto, não se criou em torno dela nenhum preconceito como aconteceu no mundo colonial. Com efeito, os critérios romanos não são raciais, mas sim fundamentados no *status*. Os princípios são claros: de um lado, distingue-se os quirites dos peregrinos, livres e escravos, pessoas beneficiárias dos direitos da cidade e as que se beneficiam apenas dos direitos naturais de todo ser humano. De outro lado, admite-se a dupla cidadania, o pertencimento a duas pátrias, à grande, de Roma, e à pequena, do lugar onde a pessoa nasceu. Direito de cidadania significa pertencer a uma célula autônoma e possuir, *ipso facto*, capacidades de natureza contratual; porém, não significa que aquele que se beneficia dela não seja um mestiço.

Tanto o modelo grego quanto o romano são fundamentalmente universalistas. No entanto, são diferentes porque a adesão ao helenismo era, antes de mais nada, uma escolha cultural, integração de indivíduos a

---

[11] PEYRAS, Jean. Identités culturelles et métissages ethniques dans l'Antiquité. In: *Métissages* – Tomo I. *Op. cit.*, p. 190.

[12] PEYRAS, Jean. *Idem, ibidem.*

uma elite e que podiam, sozinhos, por sua educação, proclamar-se livres, isto é, gregos. O pertencimento a Roma, dona do mundo, era uma necessidade política, social e cultural; a liberdade consistia, para as cidades e as pessoas, em integrar-se cada vez mais profundamente, tornando-se uma colônia ou município e assumindo magistraturas. De qualquer modo, os dois modelos eram indiferentes à noção de raça. O essencial era a adesão a uma certa cultura, necessária para as elites, mas que não significava obrigatoriamente o abandono da cultura de seus ancestrais.[13]

A mestiçagem na história do pensamento

Na vasta reflexão dos filósofos das luzes sobre a diferença racial e sobre o alheio, o mestiço é sempre tratado como um ser ambivalente, visto ora como o "mesmo", ora como o "outro". Além do mais, a mestiçagem vai servir de pretexto para a discussão sobre a unidade da espécie humana. Para Voltaire, é uma anomalia, fruto da união escandalosa entre duas raças de homens totalmente distintas. A irredutibilidade das raças humanas não está apenas na aparência exterior: "não podemos duvidar que a estrutura interna de um negro não seja diferente da de um branco, porque a rede mucosa é branca entre uns e preta entre outros".[14] Os mulatos são uma raça bastarda oriunda de um negro e uma branca ou de um branco e uma negra.

Segundo Buffon, convencido da unidade da espécie humana, a mestiçagem nada tem de escandaloso; pelo contrário, a terra é, de certo modo, povoada por mestiços que constituem todas as categorias intermediárias que permitem passar, com progressões quase insensíveis, do branco ao negro, do amarelo ao branco. Os *fules*, por exemplo, são uma espécie que parece fazer a nuança entre os mouros e os negros e poderiam ser mulatos produzidos pela mistura das duas nações. É fácil perceber que os hotentotes não são verdadeiros negros, mas homens que, dentro da raça dos negros, começam a aproximar-se dos brancos, como os mouros na raça branca começam a aproximar-se dos negros.[15] A convicção da unidade da

---

[13] PEYRAS, Jean. *Idem*, p. 194.
[14] *Traité de Métaphysique*, Chap. I, p. 192-193.
[15] BUFFON. *De l'Homme présenté et notes par M. Duchet*. Maspero, 1971, p. 276-286.

espécie humana leva Buffon a eleger os fatores climáticos e culturais como explicação da variabilidade humana e a olhar positivamente a mestiçagem, contrariamente a Voltaire, que acredita na fixidez da espécie e considera a mestiçagem uma anomalia lamentável e acidental. A corrente fixista de Voltaire tende a apoiar sua reflexão sobre a diferença em torno da questão de cor, enquanto para Buffon a cor é apenas um elemento entre outros. Não há apenas a mestiçagem das cores; há também a mestiçagem dos tamanhos, das formas físicas e das culturas.[16] A recusa da mestiçagem, isto é, a convicção de que cada raça é irredutível a uma outra, obriga a aumentar o número das raças, enquanto a concepção unitária defendida por Buffon aumenta o número de variáveis: mais admitem-se variáveis, menos admitem-se raças.

Diderot pensa que a fecundidade das mestiças é prova da unidade da espécie humana, pois todos que por meio da copulação perpetuam-se, conservando a similitude, devem ser considerados como da mesma espécie. Negros e brancos já estavam contidos na fecundidade dos primeiros homens e mulheres.[17]

Falando do novo mundo, Diderot disse que, em vez de ter apenas a fome do ouro, seria necessário levar a cada uma dessas regiões longínquas algumas centenas de jovens, homens e mulheres sãos, vigorosos, laboriosos e sábios. Os homens casariam com as mulheres e as mulheres com os homens da região. A consanguinidade, o laço mais forte, faria logo dos estrangeiros e dos naturais do país uma só e única família. Nessa relação íntima, o habitante "selvagem" não tardaria a apreender as artes e os conhecimentos ocidentais.

A América vista por Diderot já é caldeamento das três culturas, e ali a mestiçagem conservou o melhor de cada raça: adaptação ao clima e ao meio ambiente dos autóctones; a força e os dons artísticos dos negros e as luzes dos europeus. Na América do Norte, uma nova Atenas vai tomar o lugar da Europa fatigada. A regra geral está colocada desde 1770: no Rio de la Plata, os espanhóis eram sitiados pelos "selvagens". O casamento realizado com as índias parece apropriado para diminuir a extrema aversão pelos "selvagens". Da união dos dois povos tão estranhos

---

[16] DIDIER, Béatrice. *Op. cit.*, p. 29-30.

[17] DIDEROT. *Apud* DIDIER, Béatrice. *Op. cit.*, p. 16-17.

um ao outro nasceu a raça dos mestiços, que, com o tempo, tornou-se comum em toda a América Meridional. Assim, o destino dos espanhóis de todos os países do mundo é ter um sangue misturado. O dos mouros corre ainda em suas veias na Europa; o dos "selvagens", num outro hemisfério. A hipótese ainda tímida em 1770 é reafirmada com força em 1780:

> A pureza de sangue entre as nações, se for permitido expressar-se assim, do mesmo modo que a pureza de sangue entre as famílias, só pode ser momentânea, a menos que algumas instituições se oponham.[18]

Buffon e Diderot são os únicos naturalistas que, longe de reduzir a hibridade à esterilidade, veem nela uma noção fecunda. Para Diderot, a mestiçagem é uma das manifestações mais brilhantes do poder criador da matéria; o híbrido é um ser intermediário, a passagem entre a matéria bruta e o vegetal, entre o vegetal e o animal, entre o animal e o homem, entre o homem e o homem.

Na metade do século XVIII, Julien Offray de la Mettrie não era o único a defender a ideia de que os diferentes povos do universo provêm do cruzamento do homem branco com outros animais.[19] No extremo, essa posição parece revelar um pensamento inconsciente que une, na sua origem, a ideia de mestiçagem e a de raça. As raças humanas são resultado de uma mestiçagem primitiva que corrompeu o homem branco, misturando seu sangue com o sangue das bestas (animais). Se o homem de cor é um degenerado, a mestiçagem é o instrumento da contaminação. A partir de 1745, Maupertuis desenvolveu a doutrina de "epigênese", segundo a qual os híbridos tinham uma possibilidade de existência teórica: enquanto mistura de duas sementes e combinação probabilística das partículas que as compõem e transmitem variações individuais, toda união de um macho e uma fêmea podia ser considerada mestiçagem. Maupertuis supunha que o primeiro negro nasceu de um casal de brancos cujas partes seminais continham acidentalmente o princípio negro. Desse ponto de vista, nenhuma barreira separava as uniões mista; pelo contrário, graças à mestiçagem, abria-se a possibilidade de

---

[18] DIDIER, Béatrice. *Op. cit.*, p. 29-30.
[19] DUCHET, Michèle. *Histoire et Anthropologie au siècle des lumières*, p. 102-103.

criar novas espécies e melhorar aquelas já existentes, seguindo o exemplo de criadores de cães e de cavalos.[20]

Enquanto Maupertuis ainda acreditava na criação de monstros pelo cruzamento de espécies diferentes, em 1753 Buffon já definia a noção biológica da espécie como possibilidade de engendrar híbridos fecundos. Todas as variedades humanas, por mais diferentes que sejam, constituem uma espécie única. Se o negro e o branco não produzissem juntos, se seu produto permanecesse infecundo, se o mulato fosse uma verdadeira mula, haveria, então, duas espécies diferentes; mas essa hipótese foi desmentida pelos fatos, assegurava ele.[21] As raças humanas são, então, "degenerações" e "alterações" provocadas por causas ligadas ao meio e ao clima, a partir da raça branca que constitui o protótipo da espécie.[22] Em 1766, Buffon acrescenta que a mestiçagem é o meio mais rápido para reconduzir a espécie a seus traços originais e reintegrar a natureza do homem: bastariam, por exemplo, quatro gerações de cruzamentos sucessivos com o branco para que o mulato perdesse os traços degenerados do negro.[23]

Kant pronunciou-se sobre o problema da raça pela primeira vez em 1775 e, pela segunda, em 1785.[24] Reconhece que Buffon tinha razão ao adotar o critério de geração para definir a espécie humana, mas pergunta por que não estendeu o mesmo critério à definição das raças. Segundo ele, a produção de híbridos se constituía justamente em um teste fundamental para estabelecer a natureza biológica distinta das variedades e das raças. Entre os brancos, um homem louro pode ter filhos louros ou morenos com uma mulher morena: os caracteres dos pais não se misturam. Mas, no caso da união entre indivíduos de raças diferentes, pelo contrário, tem-se indivíduos infalivelmente bastardos, nos quais as características dos pais são misturadas. Isso demonstra que os caracteres raciais derivam de princípios genéticos não modificáveis: quatro germes pré-formados

---

[20] COHEN, William B. Français et Africains. *Les Noirs dans le regard des blancs, 1853-1880*. Paris, Gallimard, 1981, p. 83.

[21] VAISSIÈRE, Pierre de. Origines de la colonisation à Saint Domingue. In: *Revue des questions historiques* (79), janvier-avril 1906 p. 517. Apud William B. Cohen. *Op. cit.*, p. 84.

[22] DMONNIOL, Jean-Luc. *Op. cit.*, p. 60.

[23] STODDARD, Lathrop. The French Revolution. In: San Domingo. Nova York, 1914, p. 41-42. *Apud* William B. Cohen. *Op. cit.*, p. 85.

[24] COHEN, B. William. *Op. cit.*, p. 85-86.

estão presentes no tipo humano original, sendo cada um desenvolvido sob o estímulo de um clima determinado, com a finalidade de permitir à espécie humana povoar todo o globo terrestre, segundo um destino bem preciso da natureza.[25] Coerente com sua tese, Kant não acredita na de Buffon, segundo a qual uma mistura de diversas raças, nas proporções determinadas, pode reconduzir ao novo tipo humano original.[26] Longe de ser um meio para melhorar a espécie humana, a mestiçagem parece destinada a estragá-la: "os produtos bastardos – escreve Kant, num fragmento inédito de 1790 – degradaram a boa raça sem melhorar proporcionalmente a raça ruim".[27]

A condenação da mestiçagem como transgressão das leis naturais era ainda mais fácil no domínio das concepções poligenistas. Em 1744, num livro que fez escola entre os extremos defensores da escravidão, Edward Long, proprietário de escravos na Jamaica, defendeu também a tese de que brancos e negros não tinham a mesma origem e que constituíam espécies diferentes do mesmo gênero (*genus*). Segundo ele, os mulatos oferecem a prova de que os brancos e os negros são duas espécies distintas, pois, ao cruzar os mulatos, estes não eram capazes de reproduzir sua espécie, prova de que pertencem ao gênero das mulas. Quando os fatos pareciam desmenti-lo, pois existiam casais de mulatos com filhos, Long assegurava que o verdadeiro pai podia ser um branco ou um negro.[28]

Eis, grosso modo, o panorama das posições tomadas pelos estudiosos do século das luzes em relação à mestiçagem. Por falta de qualquer conhecimento preciso sobre as leis da hereditariedade, o saber ocidental não conquistou progresso até a segunda metade do século XIX. As alternativas teóricas permaneceram em grande parte as mesmas, mas, cada vez mais, na medida em que o tempo passava, elas assumiam também aspectos políticos. Os frutos da mestiçagem, antes objeto da história natural, estavam se transformando em sujeitos da história civil.

---

[25] BONNIOL, Jean-Luc. *Op. cit.*, p. 60.
[26] D'Auberteuil Hilliard. *Considérations sur l'état présent de la colonie française de Saint-Domingue*. Paris, 1776, p. 77-78.
[27] BONNIOL, Jean-Luc. *Op. cit.*, p. 61.
[28] GUADELOUPE, arrêt du 15 novembre 1763. *Apud* Jean-Luc Bonniol. *Op. cit.*, p. 61.

Aos olhos dos colonos brancos que consideravam os homens de cor concorrentes perigosos, a mestiçagem não deveria aparecer evidentemente como uma prática positiva. Daniel Leseallier, um dos que propuseram a abolição gradual da escravidão, recomendava a extinção do comércio de mulheres negras, visto que os mulatos constituíam uma raça bastarda e viciosa, juntando aos vícios de sua origem negra a insolência e a preguiça provocadas pelo orgulho de sua origem branca.[29] Alguns levaram ao extremo este ponto de vista: se o negro resulta de um sangue puro, enquanto o mulato tem sangue misturado, é evidente também que o negro está acima do mulato como o ouro puro está acima do ouro misturado. Marquis de Chastellux, comparando a escravidão da Antiguidade à da América, observa que, no segundo caso, não é apenas o escravo que fica abaixo do mestre, mas também o negro que fica abaixo do branco. O caminho para acabar com a escravidão seria desembaraçar-se dos negros através de casamentos mistos sucessivos até que a cor fosse totalmente limpa.[30]

No discurso dos filósofos do século XVIII, os interesses humanitários se misturam e se confundem com os cálculos políticos e econômicos. O elogio da mestiçagem, os direitos cada vez mais reconhecidos aos mestiços são devidos a essa posição intermediária entre brancos e escravizados negros; mas isso não elimina os equívocos. Se o mestiço é reconhecido como homem completo, é essencialmente porque ele tem o "precioso" sangue branco e porque pode ser utilizado para fins políticos. De Pauw escreve o seguinte em suas *Recherches Philosophiques* sobre Garcilaso de la Vega: "Ele foi apenas um mestiço, nascido em Cusco de um pai espanhol e de uma mãe peruana [...]. Ele nunca teria escrito se não tivesse um pai europeu".[31] No entanto, a exaltação da mestiçagem não constitui *ipso facto* um triunfo sobre o racismo, pois a questão política colocada pelos homens livres das colônias, e que passara a dominar a reflexão antropológica, só ajudou na sua exacerbação.

Sabemos todos que, após a fundação das colônias (caso das ilhas francesas, da América espanhola e portuguesa), essas encontravam-se

---

[29] JULIEN, C. A. *Les Français en Amérique, 1713-1784*. Paris, PUF, t. 1, 1995, p. 83.
[30] BONNIOL, Jean-Luc. *Op. cit.*, p. 62-63.
[31] SAINT-MÉRY, Moreau de. *Observations d'un habitant des colonies*, p. 20.

marcadas por um desequilíbrio numérico importante entre os sexos, pois os colonos e os contratados eram, na sua maioria, do sexo masculino. As autoridades tentavam remediar a situação ao fazer vir de seus respectivos países (França, Portugal, Espanha) mulheres brancas. Estas, muitas vezes órfãs, vagabundas, prostitutas e outros "elementos indesejáveis" da sociedade, foram aceitas rapidamente como esposas pelos brancos que partilhavam, aliás, a mesma origem social.[32] Mas, como o elemento feminino da população branca permanecia em número insuficiente, os colonos continuaram a satisfazer suas necessidades sexuais com mulheres de outra "raça". Em 1681, um administrador de São Domingos assinalou que 4 mil brancos, contra 400 brancas, viviam nessa colônia. Em 1713, o governador Blénac reconheceu que o número de rapazes era mais considerável do que o de moças, o que deixava os rapazes na desordem por concubinagem pública com as negras e as mulatas.[33] Se os brancos não hesitaram em manter relações sexuais com as mulheres negras, índias e mestiças, isso não significa em absoluto que aceitaram os princípios de igualdade racial. Esse fato sublinha mais a existência das necessidades físicas e os meios para satisfazê-las numa sociedade incontestavelmente dominada pelos europeus, tanto no plano econômico quanto no político. Vista dentro desse contexto colonial, a mestiçagem deveria ser encarada, primeiramente, não como um sinal de integração e de harmonia social, mas sim como dupla opressão racial e sexual, e o mulato como símbolo eloquente da exploração sexual da mulher escravizada pelo senhor branco. Embora o casamento com uma mulher de outra "raça" possa ser interpretado como símbolo de uma grande tolerância, é preciso dizer que os casamentos desse tipo foram muito raros. As autoridades das ilhas, no caso da França, insistiam no fato de que do direito de dominação do branco decorria um sistema de castas que interditava os casamentos mistos. Por isso, no contexto colonial a mestiçagem é também vista como uma nova categoria ameaçadora do sistema maniqueísta branco/negro – mestre/escravo, sendo o mulato um elemento perturbador da ordem sociorracial. A mestiçagem tende a apagar a marca indelével

---

[32] DEBBASCH, Y. *Op. cit.*, p. 307.
[33] SAINT-MÉRY, Moreau de. Mémoire de la milice. In: *Bibl. Moreau de Saint-Méry*, XX/97.

da cor. Por esse motivo, as autoridades da colônia viam o casamento misto como uma conjunção criminal de homens e mulheres de espécies diferentes que geravam frutos considerados como desordem da natureza, para não dizer desordem social.

Por isso, nas ilhas francesas, preparou-se gradativamente uma política de exclusão e discriminação dos mulatos que pode ser ilustrada por um certo número de projetos jurídicos, entre os quais o famoso Código Negro de 1685. Esse código, apesar de alguma permeabilidade à terminologia racial, se inspirou no direito romano. Não estabelece nenhuma distinção racial entre brancos e homens de cor, e a única divisão que reconhece é aquela entre os que nasceram em liberdade (os ingênuos) e os que ascenderam à liberdade (os alforriados). Declarando a igualdade entre todos os homens livres, independentemente do estatuto anterior, o código permitia ao mestre casar com sua escrava sob a condição de que ela e seus filhos fossem alforriados.[34] Ao impor uma multa ao colono que vivia em concubinagem e ao confiscar-lhe a mulher e os filhos nascidos de uma união ilegítima, o código esperava desencorajar a exploração sexual das escravas. Infelizmente, essas medidas ficaram mais no sonho do legista do que na realidade social. Os mestres continuaram a abusar das mulheres negras de suas plantações sem que lhes fosse aplicada multa ou qualquer outra punição. Em 1711, Guadalupe torna-se a primeira colônia a proibir o casamento misto. O Código de 1724 fez a mesma coisa em Lusiânia. Até o clero das colônias era contra os cruzamentos raciais em vez de insistir sobre a igualdade de todos perante o sacramento do casamento. O superior das Missões via nesses cruzamentos uma "conjunção criminal de homens e mulheres de espécies diferentes, dando nascimento a um fruto monstro da natureza".[35]

A interdição estipulada pela lei aos casamentos inter-raciais tinha como objetivo evitar toda e qualquer confusão entre o *status* dos homens livres e o dos escravos. Tratava-se de manter intatas as relações entre mestres e escravos. Porém, os preconceitos raciais não estavam ausentes nessas proibições. Pois, se todos os homens bran-

---

[34] SAINT-MÉRY, Moreau de. *Description de la partie française de l'île de Saint-Domingue.* Paris, Larousse, 1958 p. 100.

[35] DEBBASCH, Y. *Op. cit.*, p. 71-72.

cos eram proibidos de casar com negras, alforriadas ou escravas, aos homens alforriados não era proibido casar com negras.[36] No decorrer do século XVIII, será tomado um certo número de disposições legais e regulamentares, visando instaurar nas ilhas um regime de castas baseado na distinção das cores, regime esse que encontra sua expressão definitiva depois de 1760. De então em diante, o estatuto jurídico das pessoas é definido em função de sua cor.[37] A primeira frente já aberta concerne às uniões inter-raciais. Desde 1664, um decreto-lei pune com "chicote" dirigentes e "valetes" brancos que debocham das negras. O Código Negro promulgado em 1685 seguia nessa direção ao condenar a ilegitimidade dessas uniões. O objetivo agora é anular o artigo que autorizava em contrapartida os casamentos entre livres e escravos. De fato, tal anulação se torna norma para a nova colônia de Lusiânia e impõe-se na Guiana em 1741. Os nobres que se casam com as mulatas são destituídos de seus títulos de nobreza. Cria-se, em São Domingos, uma nova classe intermediária dos "mésalliés", isto é, brancos que ousaram atravessar o limite e escolher um cônjuge entre as pessoas de cor. Essas pessoas se unem por "mésalliance" aos homens livres. A mancha que as marca é considerada indelével e aplica-se até aos seus descendentes.

> *Un blanc qui épouse légitimement une mulâtresse descend du rang des blancs, et devient légal des franchis; ceux-ci le regardent même comme leur inférieur: en effet, cet homme est méprisable. Celui qui est assez lâche pour se manquer lui-même encore plus capable de manquer aux lois de la société et l'on a raison, non seulement de mépriser mais encore de soupçonner la prohibité de ceux qui par intérêt ou par oubli, descendent jusqu'à mésallier.*[38]

Assim, afirma-se uma política de segregação que toma todo seu sentido com a interdição de qualquer doação entre vivos, ou por morte de branco, para pessoa livre de cor. Tratava-se de impedir que a fortuna

---

[36] SAINT-MÉRY, Moreau de. Description. *Op. cit.*, p. 66-67.
[37] CREPEAU, P. *Classifications populaires et Métissage: Essai d'Anthropologie cognitive*. Sainte--Marie (Martinique), Centre de recherches Caraïbes, 1972, p. 12 e 17.
[38] SAINT-MÉRY, Moreau de. *Op. cit.*, p. 69.

branca caísse nas mãos da linhagem de cor e de assegurar a preeminência econômica do grupo branco.[39]

Toda proximidade entre brancos e pessoas de cor, marcada em particular pelo porte dos mesmos patronímicos, devia ser ocultada. Um regulamento de São Domingos prevê, em 1779, a criação de uma onomástica de cor. Já em Guadalupe, as mães de cor eram obrigadas a dar a seus filhos sobrenomes tirados de idiomas africanos ou de seu "metier" de cor, mas jamais poderiam ser os de famílias brancas da colônia.[40]

Além dos entraves às uniões inter-raciais, o legislador esforçava-se em manter os mulatos numa situação de inferioridade. Por isso, manteve--os na escravidão, graças à revivescência de uma antiga lei romana (*partus sequitur ventrem*), segundo a qual os mulatos provindos de mãe escrava deviam normalmente guardar o mesmo estatuto da mãe. A legislação e a prática fizeram com que os mulatos permanecessem numa condição inferior, sem poder econômico e, sobretudo, sem poder político. Eles foram excluídos dos principais empregos públicos (administração, exército, polícia, justiça, clero) e objeto de discriminações.

> Foi-lhes interditado tomar o título de senhor e de senhora, reunir-se mesmo com o pretexto de núpcias, festins ou danças, ocupar lugares especiais nas cerimônias, circular nos passeios públicos e sentar-se nos albergues frequentados por brancos, [...] usar nomes reservados aos brancos.[41]

Uma nova leitura do código vai impor a todo homem livre de cor o respeito a todo branco. Assim foi inventado um novo crime contra os livres: o crime de "irreverência", do qual decorria a impossibilidade de acionar um branco na justiça, até mesmo nos casos de arbitrariedade flagrante. Como constata Y. Debbasch, na segunda metade do século XVIII, espera-se de um livre de cor a simplicidade e a decência; quem se distancia desse ideal é acusado de arrogância ou insolência, termos que, apesar de toda evidência, não têm aqui seu sentido ordinário. Além

---

[39] SAINT-MÉRY, Moreau de. *Idem*, p. 70.
[40] SAINT-MÉRY, Moreau de. *Idem, ibidem*.
[41] SAINT-MÉRY, Moreau de. *Idem, ibid*.

disso, a situação urbana conduzia a um aprofundamento cada vez maior da segregação (lugares especiais nos teatros, cemitérios, transportes...).[42]

Teoricamente, a mácula servil é afetada por um coeficiente de inferioridade, sendo a cor tomada apenas como signo. Como observava na época Moreau de Saint-Méry, "o negro no estado atual das coisas está ainda mais afastado do seu mestre pela cor do que pela escravidão".[43] Se a brancura é o que importa, ela não pode limitar-se à simples aparência física, na medida em que deve traduzir toda ausência de contato com a mácula servil-negra. Emerge, então, a ideia essencial na dinâmica do sistema, que se encontra mais ou menos confirmada na maioria das sociedades plurirraciais: a de linha de cor, que estabelece uma divisão sem falha entre os brancos e os outros, qualquer que seja seu grau de mestiçagem, e que rejeita em bloco aqueles que não são considerados indenes de contaminação e que são consequentemente reconduzidos a outra cor fundamental. Y. Debbasch acrescenta que as dúvidas podem nascer precisamente a partir desses estágios de mestiçagem avançada, que são, para todos os descendentes africanos, uma tentação irresistível: por que não jogar com a aparência e contar com o esquecimento para insinuar-se na classe "superior"?[44] Um raciocínio do tipo genealógico se instala, dando lugar ao "genótipo" sobre o "fenótipo".

> Um sangue misturado, mesmo chegado à sétima ou oitava geração, mesmo chegando ao ponto em que a cor teria a aparência da cor de um europeu, seria sempre um sangue misturado e não poderia se dizer igual e caminhar de par com um branco europeu.[45]

E Moreau de Saint-Méry, sobre a ideia da linha de cor, fez a sua formulação mais radical: "A opinião [...] quer, por conseguinte, que uma linha prolongada até o infinito separe sempre a descendência branca da outra".[46] O reconhecimento de uma perfeita origem europeia é colocado

---

[42] CREPEAU, P. *Op. cit.*, P. 16.
[43] DUCHET, Michèle, art. citado, p. 125.
[44] DEBBASCH, Y. *Op. cit.*, p. 309.
[45] LABELLE, M. *Idéologie de couleur et Classes sociales en Haïti*. Montreal, Presses de l'Université de Montreal, 1978, Introduction.
[46] BONNIOL, Jean-Luc. *Op. cit.*, p. 77.

como condição para ingressar na milícia branca. A admissão dependia de um julgamento baseado no inquérito formal sobre a tradição oral, sendo a árvore genealógica considerada peça essencial do dossiê. Os suspeitos acusados de ascendência misturada eram obrigados a defender-se na justiça, por meio dos inquéritos nos registros cartoriais. A sociedade branca permanece, em última instância, a verdadeira reguladora, independentemente dos decretos jurídicos. E essa tarefa jamais terminará, pois a barreira é sempre marcada, com o medo que não esteja bastante visível.[47]

A linha de cor que aparece como sintoma de uma redução binária da extrema diversidade fenotípica pode coexistir com o reconhecimento dessa realidade humana "luxuriante". Toda uma gama de nuanças elaboradas entre o branco e o negro é prova ilustrativa dessa coexistência entre o sistema binário (branco e não branco) e a diversidade de cores entre os não brancos. Moreau de Saint-Méry nos apresenta uma célebre classificação cromática, baseada em suas observações pessoais, em tradição oral e documentos escritos da época.[48] O princípio da classificação é essencialmente genealógico porque as categorias não se definem pelo aspecto físico de seus membros, mas sim por suas origens, o que confere uma posição determinada no eixo que liga os polos brancos e negros originais. Moreau parte da suposição de que um indivíduo é composto de 128 partes, consideradas idealmente como probabilidades de origem a partir de 128 ancestrais. Essas partes implicam uma informação genealógica que corresponde a sete gerações e pode ser considerada como o máximo de profundeza de uma consciência genealógica. A partir de cálculos matemáticos relativamente complexos, ele chega a expressar essa posição através das seguintes categorias:

Sacatra: 8 a 16 partes brancas e 112 a 120 partes negras;
Griffe: 24 a 32 partes brancas e 96 a 104 partes negras;
Marabou: 40 a 48 partes brancas e 80 a 88 partes negras;
Mulâtre: 56 a 70 partes brancas e 58 a 72 partes negras;
Quarteron: 71 a 96 partes brancas e 32 a 57 partes negras;
Métis: 104 a 112 partes brancas e 16 a 24 partes negras;

---

[47] BONNIOL, Jean-Luc. *Op. cit.*, p. 78.
[48] Sobre a questão da cor nas lutas políticas haitianas, ver também D. Nicholls. *From Dessaline to Duvalier. Race, colour and National independent in Haiti.* Londres, Cambridge University Press, 1979.

Mamelouc: 116 a 120 partes brancas e 8 a 12 partes negras;
Quarteronné: 122 a 124 partes brancas e 4 a 6 partes negras;
Sang mêlé: 125 a 127 partes brancas e 1 a 3 partes negras.

O arbitrário influi sobre toda a classificação, segundo os próprios termos de Moreau de Saint-Méry, perfeitamente consciente de que sua classificação é apenas uma aproximação. Aqui interfere, em certa medida, a consideração do fenótipo: por exemplo, quando uma criança vem de "quarteron" claro com uma "griffone" clara, em vez de considerá-la marabou, classificam-na entre os mulâtres.[49]

Além dessas características físicas, Moreau de Saint-Méry faz, para cada categoria, apreciações concernentes a certos traços de comportamento, em especial os que dizem respeito à paixão dos sentidos. Por exemplo, o "mulâtre", considerado como indolente, tem paixão pelos exercícios do corpo, sobretudo pela equitação e a paixão que leva um sexo a outro. Mais do que isso, para cada uma das categorias é avaliada sua adaptação ao meio, em particular ao clima de São Domingos. O "mulâtre" parece ser o melhor adaptado, o que, aliás, explicaria sua inclinação ao prazer.[50]

Todo o rigor da linha de cor que separa as categorias mestiçadas do termo branco se exerce ao nível dos "sang-mêlés" (sangues misturados), justamente porque a descendência deles se aproxima muito ao misturar-se a brancos, o que exige uma observação atenta para distinguir essas últimas misturas dos brancos puros. A tradição oral ou escrita serve geralmente, de guia a esse respeito.[51] Indo ao extremo, pode-se imaginar que um "sang-mêlé" que chegaria ao oitavo degrau de mistura com o branco teria apenas uma parte negra sobre 8.191 partes brancas, o que corresponde a uma diferença infinitamente pequena. No entanto, Moreau adere ao eco de uma crença relativa ao reaparecimento dos caracteres desaparecidos após um certo número de gerações:

> Para apoiar a opinião [...] não admitindo a possibilidade de desaparecimento total do traço da mistura [...] diz-se que a nuança que se estabeleceu durante duas ou três gerações se aviva e revela a mistura africana; se não é

---

[49] DEBBASCH, Y. *Op. cit.*, p. 309.
[50] BONNIOL, Jean-Luc. *Op. cit.*, p. 78.
[51] BONNIOL, Jean-Luc. *Idem*, p. 79.

na cor que o indício se encontra, ele se apresenta no conjunto dos traços, no nariz achatado, nos lábios grossos, que mostram muito a origem.[52]

E acrescenta:

> [...] esse indício, no qual seria talvez mais perigoso acreditar, é o olho do preconceituoso que o enxerga, e, se passeasse na Europa inteira, ele encontraria com esse sistema algo para afirmar ali uma nomenclatura colorida.[53]

Por sua vez, P. Crépeau, ao fazer uma análise aprofundada do sistema de classificação de Moreau, levanta três regras características:[54] a de descendência, que postula que as diversas categorias raciais se definem pela origem dos genitores, ou seja, trata-se de categorias exclusivamente genealógicas; a regra de não retorno, que corresponde ao caráter "infinito" da linha de cor: por mais próxima de branco que possa ser uma mulher não branca, jamais resultará um branco de sua procriação; e, finalmente, a regra de desigualdade que afirma a superioridade do branco sobre o negro, como resultado da escravidão. Além dessas regras, Crépeau distingue três princípios ou leis que regem o sistema: 1) a lei da identidade (dois indivíduos da mesma categoria engendram descendentes de sua própria categoria); 2) a lei de progressão aritmética ao branco: toda mistura, qualquer que seja a distância entre os dois parceiros, gera um produto que é classificado na categoria imediatamente "inferior" à do parceiro mais baixo. Assim, os "mulâtres" que se unem com os brancos, com os "sang-mêlés", com os "quarteronnés", com os "mamelouc" ou com os "métis" engendrarão sempre os "quarterons"; 3) a lei de assimilação, pela qual, em algumas misturas, certas categorias são assimiladas a outras. Ela aproxima a uma ou a outra das categorias polares. Observa-se, a esse respeito, que pode haver assimilação ao negro no caso de certas misturas (por ex., no que diz respeito ao *sacatra*), mas nunca há assimilação ao branco.

---

[52] BONNIOL, Jean-Luc. *Idem, ibidem.*
[53] BONNIOL, Jean-Luc. *Idem*, p. 247.
[54] LA METTRIE, J. Offray de. Système d'Epicure, XXXIX-LX In: *Oeuvres philosophiques*, A. Londres, 1751 (reprint Fayard, Paris, 1987, v. I, p. 367. Ver também Poliakov, Léon. Le fantasme des êtres hybrides et la hierarchie des races aux XVIII et XIXème siècle. In: Hommes et bêtes. Entretiens sur le racisme. Paris, 1975, p. 167-181).

P. Crépeau conclui que há um sistema cognitivo em equilíbrio, mas cujo funcionamento ideal exigiria um espaço social relativamente estreito e uma profundeza genealógica não muito prolongada. Esse equilíbrio já era, segundo ele, ameaçado de instabilidade, na medida em que se fazia aparecer uma tendência à classificação fenotípica, em detrimento da regra de descendência e como consequência dos efeitos no longo percurso da lei de assimilação. Se aos brancos interessava principalmente a divisão do mundo em dois, às próprias pessoas de cor interessava essa graduação racial cromática. Esse fenômeno, que M. Duchet qualifica de matemática racial, é atestado por toda parte e sua importância confirmada pelo uso de nomes particulares atribuídos, segundo as regiões, às diferentes variedades de mestiços.[55] Essa hierarquia das nuanças tem um efeito de deslocação, porque o sub-racismo nela implicado dificulta a formação de uma consciência comum. No topo da escala, a assíntota ao branco leva à negação de certos panos de fundo da ascendência. E a famosa passagem de linha só poderia ser a aventura de um indivíduo que quer fazer que todos esqueçam o que ele mesmo não quer mais lembrar.[56]

A ideologia colorista, construída na segunda metade do século XVIII em relação aos não brancos, deu origem a um "sub-racismo" das pessoas de cor, que deveria ser denominado de "racismo derivado", na medida em que se trata de uma interiorização e de um reflexo do racismo original, o racismo branco. É toda uma cascata de menosprezo que se instalou, indo do mais claro ao mais sombrio, descendo toda a graduação das nuanças que acabamos de descrever. Não poderia ser minimizado esse tipo de preconceito e essa dialética de contradições secundárias. Como escreve M. Labelle, os grupos intermediários participam do preconceito a título de oprimidos e opressores. Uma boa parte da estratégia das pessoas de cor consiste em fazer-se conhecer enquanto grupo privilegiado, diferente dos negros e apto a tornar-se igual aos brancos (o que alguns qualificaram de "traição dos mestiços").[57]

Quando, em novembro de 1803, negros e mulatos se tornam donos indiscutíveis de São Domingos, os dois grupos encontram-se de

---

[55] MAUPERTUIS, Pierre-Louis Moreau de. "Venus physique". In: *Oeuvres*. Lyon, 1768, v. II, p. 106-108; 122-124; 128-130.

[56] BUFFON, Georges-Louis Leclerc. *Oeuvres philosophiques, texte établi et présenté par Jean-Piveteau*. Paris, PUF, 1954, p. 357.

[57] BUFFON. "Variétés dans l'espèce humaine" (1749). In: BUFFON. *De l'Homme, présentation de Michèle Duchet*. Paris, Maspero, 1971, p. 223s.

ora em diante frente a frente. A natureza racial dessa confrontação não foi apagada pela distinção "antigos livres/novos livres": são dois grupos fenotípicos e genealógicos coexistentes no seio de uma classe dirigente (velhas famílias mulatas da época e novas famílias negras descendentes, essencialmente, dos chefes militares da luta pela libertação), constituindo duas facções rivais no seio da mesma classe. Essa oposição é complicada por um fator geográfico, o norte aparecendo mais negro que o sul considerado como feudo dos mulatos.[58] No texto da primeira Constituição do Haiti independente, negros e mestiços são ambos considerados simplesmente como negros. O ódio em relação ao colonizador é, antes de mais nada, um ódio racial como ilustrado pela declaração de Boisrond-Tonnerre: *"Pour rédiger l'acte de l'indépendance, nous avons besoin de la peau blanche pour parchemin, de son crâne pour écritoire, de son sang pour ancre et d'une baionette pour plume".*[59] Num outro sentido, os mestiços se consideram como verdadeiros "americanos", na medida em que os negros podem ser considerados africanos e os brancos europeus.[60] Ao se retirar, a colonização deixou em aluvião uma filosofia das etnias que o tempo, com todos os transtornos, ainda não chegou a corroer.[61]

No fim do século XVIII, os governantes começam a tomar consciência da ameaça contra a colônia que poderia ser provocada pelo descompasso entre a ordem social e a ordem racial. Propuseram, então, que se considerasse como escravos somente os que fossem negros e como brancos todos os que fossem livres, ligando, assim, o preconceito contra os mestiços não mais à cor da pele, mas ao *status*, à condição jurídica. Proposta que não agradou aos colonos brancos e foi substituída por um

---

[58] Sobre essa questão, ver também: DUCHET, Michèle. "Esclavage et Préjugé de couleur". In: P. Comarmond et Claude Duchet (Ed.). *Racisme et Sociétés*. Paris, Maspero, 1969, p. 121-130; POLIAKOV, Léon. "Du noir au blanc, ou la cinquième génération". In: *Le Couple Interdit*. Entretien sur le racisme. Paris, La Haye/Mouton, 1980, p. 177-190.

[59] KANT, Immanuel. "Von den verschiedenen Rassen der Menschen" (1775). In: *Werke*, ed. por Wilhelm Weischedel, Band VI, Darmstad, 1966, p. 11-30; "Bestimmung des Begriffs einer Menschenrasse (1785)", p. 65-82. *Apud* Giuliano Gliozzi. "Le Métissage et l'histoire de l'espèce humaine. De Maupertuis à Gobineau". In: *Métissage. Op. cit.*, p. 52.

[60] KANT. "Bestimmung". *Op. cit.*, p. 77-99.

[61] KANT. *Idem*, p. 82.

sistema no qual as pessoas de cor são classificadas em um certo número de castas, de acordo com as nuanças.[62]

No início do século XIX, foi implantado um programa reformista visando à organização sistemática das nuanças, de modo a permitir a "passagem de linha", geração após geração, para os livres que se aproximam assintoticamente do grupo branco, contrariando o caráter infinito da linha de passagem, tal como foi observado por Moreau de Saint-Méry. O texto seguinte, de autoria de um antigo colono de São Domingos, e datado de 1820, nos permite penetrar nos meandros desse pensamento reformista. Desde o início do texto, o autor revela o objetivo concreto da reforma por ele proposta: "Nas colônias de escravos, convém multiplicar os contrapesos das populações [...]. Tropas de linha, milícia branca e gente de cor formam já um peso suficiente contra a massa dos escravos. Mas, enquanto os brancos se diversificam por contraste de interesses, as pessoas de cor manifestam uma espécie de consistência e de conjunto nocivo ao sistema colonial".[63] Vamos ao cerne da proposta:

> Seria possível atribuir a diferentes mesclas de cor essa medida de vantagens políticas que, ao dividi-las entre elas, tenderia a ligá-las mais estreitamente aos brancos, ou seja, quanto mais aproximadas da cor europeia, mais poderiam participar dos favores mais altos; quanto mais afastadas fossem, elas seriam eficazmente mantidas nos limites determinados segundo a ordem natural para a manutenção do sistema colonial.[64]

O desenvolvimento da reflexão mostra que a ambiguidade do fenômeno procede do fato de que a aparência física, embora imediatamente revestida de significados sociais, se constitui a partir de uma constelação de traços biológicos. E, na medida em que se serve desses traços para encarnar as diferenças sociais, torna-se absolutamente necessário

---

[62] KANT. "Worin besteht der Fostschritt zum Besseren im Menschgeschlechte?" Manuscrito publicado em 1914 na tradução italiana de Kant *Scritti politici e di filosofia della storia*, a cura di N. Bobbio, L. Firpo e V. Mathieu, Turim, UTET, 1978, p. 231-234. Ver também Alexis Philonenko. *La théorie kantienne de l'histoire*. Paris, Urin, 1986, p. 177-178.

[63] LONG, Edward. *History of Jamaica*, Londres, 1774, v. II, p. 356; Curtin, P. *The image of Africa: British Ideas and Action, 1780-1850*. Madison, University of Wisconsin Press, 1964; The Atlantic Slave trade, 1550-1807. Londres, Franc Cass, 1978, p. 41-58.

[64] LESEALLIER, Daniel. *Refléxions sur le sort des noirs dans les colonies*. *Apud* Giuliano Gliozzi. *Op. cit.*, p. 54.

salvaguardá-los, porque são portadores de discriminação. Coloca-se, então, um problema inédito de reprodução. Como assegurar a renovação, de geração a geração, de uma situação social cujos parâmetros não são sociais e não são transmissíveis socialmente, mas sim passam pelo canal da hereditariedade biológica? Como remediar o problema físico da diluição das cores pela miscigenação? Aqui está a intriga racial! Efeito de opacidade social: a sociedade não pode controlar totalmente a conduta de seus membros. A mestiçagem, ao apagar as diferenças físicas, reduz a validade dos traços fenotípicos como signo de relação de parentesco: chega-se até a encontrar uma diversidade fenotípica no interior de cada família. A própria exploração sexual característica da escravidão abre uma grave contradição interna no sistema. Somado, tudo isso dificulta a manutenção de uma fronteira racial entre pessoas aparentadas. O que explicaria por que, nos Estados Unidos, passou-se da ideologia paternalista da plantação (que maximizava a desigualdade ao favorecer a intimidade) a uma dicotomia racial rígida, que joga automaticamente todo indivíduo intermediário no grupo inferior, e a uma endogamia rigorosa para cada um dos grupos. Para manter a discriminação é preciso fazer apelo a uma política de "identidade" escrita, jogando de modo automático todos os indivíduos, produtos de uma eventual mistura ou que carregam o traço, numa categoria global reconduzida a outra cor primitiva.

Essa partição é coerente nas perspectivas do segmento racialmente dominante. Porém, os valores ligados à ideologia da cor se difundem no resto do corpo social. Os fluxos aqui são mais livres e favorecem a emergência de categorias ao mesmo tempo sociais e biológicas, abertas por cima mas fechadas por baixo, refletindo o modelo do segmento não mesclado. Sob a preeminência do branco, "ex machina" do sistema, os indivíduos e as linhagens procuram gerir com cuidado seu capital racial, de modo a aumentar sua parte de "branco" e a subir, no sentido inverso do movimento das águas, os diversos escalões da "linha de passagem". Mas, a passagem pode ser efetuada apenas por raros indivíduos, capazes de escapar à memória coletiva e de ocultar a seus próprios olhos uma parte de sua ascendência.[65]

---

[65] CHASTELLUX, François Jean de. *Voyage dans l'Amérique septentrionale dans les années 1780, 1781, 1782.* Paris, 1786, p. 147-149.

Os séculos XIX e XX e a questão da mistura das raças na doutrina nórdica

O desenvolvimento das culturas depende, segundo os doutrinários do racismo, da pureza da raça. Por outro lado, o declínio de uma cultura explica-se facilmente pela degenerescência que a mistura das raças provoca. Gobineau e seus discípulos eram contra a democracia, principalmente porque ela encorajava o cruzamento geral dos elementos raciais. Sustentaram que tal hibridismo teria por consequência uma falta de harmonia no organismo físico e uma instabilidade tanto mental quanto emotiva. Nos escritos de autores como Seth K. Humphrey (*Mankind: Racial Values and the Racial Prospect*, Nova York, 1917), Grant and Stoddard, para não citar toda a literatura xenófoba da Ku Klux Klan e dos clubes anglo-saxônicos, a tese defendida é a de que a futura população americana resultante do cruzamento com os elementos estrangeiros perderá o caráter harmonioso e estável que possuía até então. Alguns desses autores afirmaram que tal desarmonia daria origem a todos os tipos de males sociais e de imoralidade, tais como os abusos do álcool e tabaco, a falta de religião, a pressa descontrolada, a pornografia, a irritabilidade excessiva etc.[66] Joseph Widney atribui à mistura de sangue o que ele chama de falta de estabilidade dos povos celtas, assim como suas tendências às querelas intestinas, e incapacidade presumida em manter estáveis organizações cooperativas.

> É a chave dos distúrbios da Europa Oriental: o que se chamou a questão oriental é simplesmente a fermentação do sangue misturado de tipos muito dessemelhantes.[67]

Às vezes, a argumentação toma forma bastante contraditória ao afirmar que os híbridos se tornam, mais cedo ou mais tarde, estéreis e que isso provoca um desequilíbrio na proporção dos sexos e um decréscimo geral das capacidades físicas e mentais. Manifestamente, tal argumento leva diretamente à conclusão de que os híbridos tendem a desaparecer, conclusão essa facilmente refutada pela presença do caráter quase universalmente

---

[66] HANKINS, Frank H. *La race dans la civilisation. Une vue critique dela doctrine nordique*. Paris, Payot, 1935, p. 274.

[67] HANKINS, Frank H. *Op. cit.*, p. 274-5.

híbrido da espécie humana. Por outro lado, os defensores da mistura das raças sustentam que o casamento restrito aos membros do mesmo grupo tende a deteriorar a raça, que as raças híbridas são as mais vigorosas, porque a infusão de um sangue novo aumenta a vitalidade do grupo. Breve, eles apresentam diferentes argumentos de ordem social e econômica em favor da imigração que conduz manifestamente à mestiçagem racial.

Ora, a maior parte dessa literatura caracteriza-se pela incapacidade dos autores em distinguir entre três problemas diferentes. Primeiramente, a questão dos efeitos de mistura racial, independentemente das qualidades das raças misturadas. Em segundo lugar, a questão dos efeitos produzidos pelos cruzamentos das linhagens, e, finalmente, a questão dos obstáculos de ordem psicossocial contra os quais os híbridos têm geralmente de lutar. A clareza exige que esses três aspectos do problema geral, logicamente distintos, sejam considerados separadamente.

Uma olhada rápida, começando pelo último aspecto da questão, mostra que, se a lei ou o costume social de um país relega os tipos híbridos à posição de raça politicamente inferior, suas contribuições sociais estarão provavelmente abaixo de suas capacidades inatas. Tudo depende, naturalmente, do caráter geral do meio social. Num regime rígido de castas, onde seria absolutamente impossível a um híbrido elevar-se acima da posição social inferior que ocupa seu pai, fica claro que não se poderia julgar o hibridismo racial de acordo com a posição social atingida pelos indivíduos híbridos.

Quanto aos aspectos biológicos, as conclusões das pesquisas mostram que nem a endogamia nem a exogamia dos grupos são em si prejudiciais. No desenvolvimento das diversas famílias de animais domésticos, seguem-se dois métodos. Se a raça é boa do ponto de vista genético, quanto a todos os caracteres desejados, ela pode continuar a desenvolver-se durante numerosas gerações sem cruzamento e sem mostrar os mínimos indícios de degenerescência. Segundo a teoria mendeliana, nenhum caráter pode aparecer se seu elemento constitutivo não estiver num ou noutro dos ancestrais. Pode-se recorrer à reprodução entre animais da mesma família como meio para descobrir as potencialidades hereditárias: o que revelará todos os fatores escondidos ou caracteres recessivos.[68]

---

[68] HANKINS, Frank H. *Idem*, p. 278.

A afirmação, segundo a qual a mistura das raças aumenta a variabilidade, não tem necessidade de ser comprovada. O fato é evidente por sua própria natureza. A união de diversos fatores genéticos de duas raças alarga o campo de combinações possíveis. Esse fenômeno, observado várias vezes pelos antropólogos no que diz respeito aos traços físicos, tem sido também anotado pelos psicólogos no que diz respeito às características mentais. Os princípios que governam a combinação dos fatores genéticos, formulados na teoria mendeliana de hereditariedade, oferecem uma base de sustentação científica.

No seu ensaio sobre a desigualdade das raças humanas, publicado em quatro volumes entre 1853 e 1855, o conde Joseph Arthur de Gobineau coloca a principal questão: como as civilizações nascem e por que elas desaparecem. Independentemente da vontade de Deus, pensa Gobineau, os povos desaparecem porque são degenerados. A palavra "degenerado", aplicada a um povo, significa que esse povo não tem mais o mesmo valor intrínseco que possuía outrora, porque não tem mais em suas veias o mesmo sangue, cuja qualidade foi afetada por sucessivas alterações provocadas pelas mestiçagens. Ele morre definitivamente junto com sua civilização no dia em que o elemento étnico primordial encontrar-se subdividido e afogado nas relações com as raças estrangeiras, pois a virtualidade desse elemento não exercerá mais de ora em diante uma ação eficiente.

A civilização só se desenvolve quando uma nação conquista outra. E a conquista faz com que uma nação sem força e sem poder se encontre, de repente, nas mãos de mestres vigorosos e seja chamada a compartilhar com estes um novo e melhor destino. Seguem novas conquistas, o que faz crescer a riqueza, nascer o comércio; os estrangeiros aumentam nas cidades da região civilizada. Mas somente um povo soberano, com propensão para misturar-se a um outro sangue, se mistura rapidamente com um povo inferior. Na mistura, as distinções de raças engendram múltiplas castas sociais; finalmente, o sentido aristocrático e o sentido da superioridade da raça cedem lugar à degenerescência democrática e ao senso de igualdade. A raça branca possui originalmente o monopólio da beleza, da inteligência e da força. Na sequência das uniões com as outras variedades nascem os mestiços belos sem ser fortes, fortes sem ser inteligentes, inteligentes com muita feiura e debilidade. Os povos só degeneram devido às misturas que sofreram e de acordo com as proporções e as qualidades dessas misturas. É possível que as instituições criadas pela raça superior possam manter a civilização por um certo tempo. Mas, finalmente, ela cairá em decadência, porque o sangue que a criou foi dizimado pela guerra e adulterado pelo sangue de uma horda estrangeira.

Eis a essência da filosofia da história de Gobineau. A raça suprema entre os homens é a raça ariana, da qual os alemães são os representantes modernos mais puros. Todas as civilizações resultam das conquistas arianas sobre os povos mais fracos; começaram todas a declinar quando o sangue ariano é diluído por cruzamentos. Os brancos ultrapassam todos os outros em beleza física. Os povos que não têm o sangue dos brancos aproximam-se da beleza, mas não a atingem. De todas as misturas raciais, as piores, do ponto de vista da beleza, são as formadas pelo casamento de brancos e negros.

No entanto, a essência da doutrina de Gobineau se encontra mais na teoria que formulou sobre os efeitos da mistura das raças do que na sua teoria sobre a superioridade da raça ariana. Ele estabeleceu que, em todas as partes do mundo, tribos, na maioria amarelas e negras, pareciam ser objeto de uma certa paralisia que as impedia de dar o primeiro passo em direção à civilização, independentemente das condições do solo ou do clima nas quais se encontravam. Por quê? Elas eram atingidas pela impotência e inábeis para vencer as repugnâncias naturais que o homem, como o animal, tem ao cruzamento. Outros grupos podem vencer essa repugnância até certo ponto; eles fazem uma guerra de conquista e fundam uma pequena nação, que, porém, resta estagnada. Mas certos grupos mais imaginativos e mais enérgicos conquistam um território mais extenso e formam uma nação maior. Assim, enquanto a humanidade tem, em todos os seus ramos, uma repulsão secreta aos cruzamentos – e não há povo que possa desembaraçar-se inteiramente desse sentimento –, os que o conseguem melhor formam o que é civilização na nossa espécie.

A pensar bem, o princípio primordial da teoria de Gobineau sobre o nascimento da civilização não é absolutamente a doutrina da pureza das raças. Pelo contrário, a mistura das raças é a condição *"sine qua non"* do progresso, do estado "selvagem" ao estado da cultura. Para entrar na história como criadora de um grande Estado, uma raça deve ter não apenas energia e inspiração, mas também capacidade para vencer essa forte repulsão universal a misturar seu sangue com o sangue de uma outra raça.

Sem dúvida, existe, na essência da filosofia de Gobineau, uma nebulosidade e uma contradição que não escapariam à crítica. Ele pode ser considerado como o grande "profeta" da pureza de sangue; porém, considera a mistura das raças o fundamento essencial de todas as civilizações. Considera também a mistura como a fonte da degenerescência da raça e do declínio da cultura, ao mesmo tempo que afirma ter a mistura produzido novas qualidades e fertilizado as capacidades latentes das raças envolvidas. As contradições de sua "teoria" aparecem em seus próprios termos metafísicos quando ele coloca em oposição a lei de "repulsão" e a lei de "atração". A primeira se manifesta pela repugnância natural ao cruzamento, repugnância que tenderia à manutenção da pureza das raças e consequentemente privaria a civilização de sua força criadora e vivificante. A segunda lei, pelo contrário, se traduz pela "propensão marcada", que leva as raças ao cruzamento e que em consequência cria e destrói a civilização. A única possibilidade de conciliar essas contradições seria negligenciar a pureza de sangue e fazer do cruzamento das raças a chave para o enigma histórico. Mas, em última análise, Gobineau diz que a civilização nasce de uma boa dosagem na mistura das raças e que uma mistura excessiva a destrói. Um cruzamento, pelo menos, é absolutamente indispensável; um segundo cruzamento será provavelmente nocivo, enquanto que o terceiro levará, infalivelmente, à ruína da civilização e do povo criador.

Ideologias da mestiçagem

As teorias de Adolf Hitler, formuladas no livro *Mein Kampf* desde 1922 e difundidas largamente na Alemanha e na França a partir de 1933, além de decretar uma hierarquia das raças humanas, condenam a mestiçagem das raças como degenerescência e vergonha racial.[69] A mestiçagem racial, assim, foi considerada pela ideologia nazista como um processo que provoca o desaparecimento das qualidades que outrora tornaram o povo conquistador capaz de conquistas. São particularmente as energias civilizadoras que a mestiçagem com uma raça inferior faz desaparecer. A consequência mais palpável e brutal dessa teoria racial de Hitler foi

---

[69] HITLER, Adolf. *Mein Kampf* (1922). *Apud* SOCÉ, Ousman. "L'assimilation? ou l'Association?" Paris-Dakar, n. 552, 17 septembre 1936, p. 1.

a esterilização forçada, desde 1933, de todos os mestiços nascidos na Alemanha das relações entre negros e brancos, em particular os mais de 900 atiradores senegaleses, magrebinos e malgaches estabelecidos após a Primeira Guerra na margem esquerda do Reno.[70]

Nos anos 1930, a França colonial lança a ideia da "mestiçagem cultural" em oposição às noções de pureza racial e cultural, de vergonha racial e de hierarquia das raças próprias à ideologia nazista. Trata-se de um projeto de aculturação, ou melhor, de assimilação, configurando-se como ideologia colonial da França republicana e cumprindo funções política e pedagógica. A primeira materialização dessa ideologia se encontra na criação de um teatro africano de língua francesa na Escola "William--Ponty" de Gorée em 1933. A partir de 1936, a "mestiçagem cultural", então designada também de "síntese cultural" e de "cultura euro-africana", provocou uma grande polêmica entre os próprios sujeitos da mestiçagem, isto é, a primeira geração de intelectuais, educadores e funcionários africanos.[71] Havia, sem dúvida, como em toda polêmica, vozes africanas em favor e contra a ideologia da "mestiçagem cultural". Jovem poeta, Senghor escreve a respeito contra a ideologia da mestiçagem cultural:

> *Enseigner aux noirs d'Afrique des Humanités Grego-Latines, ce serait méconnaître leur originalité foncière, brimer le génie de leur race, les détourner d'une autre humanité possible, plus conforme à leurs aspirations profondes et à leurs aptitudes congénitales.*[72]

---

[70] Ver a esse respeito: Reiner Pommerin. Sterilisierung der Rheinlabastarde: Das Schicksal einer farbigen deutschen Minderheit 1918-1937. Dussedorf, Droste, 1979; Cornelia Panzacchi. "Die Kinder der Tirailleurs Sénégalais". In: Já nos Riesz et Joachins Schultz (ed.) Tirailleurs Sénégalais: Zur bildlichen und literarischen Darstellung afrikanischer Soldaten im Dienste Frankreichs-Présentations littéraires et figuratives de soldats africains au service de la France, Bayrenther Beiträge zur Literarwissenschaft, t. 13, Frankfurt, M. Lang, 1989, p. 101-110; Hans-Jürges Lüsebrink. "Les tirailleurs sénégalais et l'anthropologie coloniale. Un litige franco- allemand aux lendemains de la Première Guerre Mondiale". Ethiopiques, n. 3-4, Dakar, 1988, p. 116-125.

[71] DELAVIGNETTE, Robert. Le théâtre de Gorée et la culture Franco-Africaine. In: *L'Afrique Française*, n. 10, octobre 1937, p. 171-172.

[72] SENGHOR, Léopold Sédar. "Le problème culturel en A. O. F." Paris-Dakar, 7 septembre 1937, p. 1-2; 8 septembre 1937, p. 2; 10 septembre 1937, p. 2.

A mestiçagem no pensamento brasileiro

Ao abordar a questão da mestiçagem do final do século XIX, os pensadores brasileiros se alimentaram, sem dúvida, do referencial teórico desenhado pelos cientistas ocidentais, isto é, europeus e americanos de sua época e da época anterior. A discussão travada por alguns iluministas a respeito do caráter ambivalente da mestiçagem, seja para explicar e confirmar a unidade da espécie humana (Buffon, Diderot), seja para negá-la (Voltaire); a ideia da mestiçagem tida ora como um meio para estragar e degradar a boa raça, ora como um meio para reconduzir a espécie a seus traços originais; as ideias sobre a degenerescência da mestiçagem etc., todo o arcabouço pseudocientífico engendrado pela especulação cerebral ocidental repercute com todas as suas contradições no pensamento racial da elite intelectual brasileira.

Como acontece geralmente na maioria dos países colonizados, a elite brasileira do fim do século XIX e início do século XX foi buscar seus quadros de pensamento na ciência europeia ocidental, tida como desenvolvida, para poder não apenas teorizar e explicar a situação racial do seu País, mas também, e sobretudo, propor caminhos para a construção de sua nacionalidade, tida como problemática por causa da diversidade racial.

No entanto, no encaminhamento da discussão ideológico-política da mestiçagem para enfrentar o problema nacional, os pensadores brasileiros, na sua maioria, apesar de terem sido alimentados pela "ciência" ocidental de sua época, elaboraram propostas originais, diferentes das elaboradas nos Estados Unidos, na América Espanhola, nas Antilhas Francesas e no Caribe.

Para caracterizar esse pensamento brasileiro sobre a mestiçagem, faz-se necessário sintetizar criticamente seus produtores mais destacados, antes de analisar seus efeitos e suas consequências no processo da formulação da identidade nacional e seu contrapeso na problemática da formação da identidade negra ou afro-brasileira. Trataremos deles na medida em que suas obras apareceram cronologicamente no decorrer da história, sem deixar de incluir as críticas contra eles, feitas por outros pensadores, e sem poupá-los de nossos próprios comentários críticos, embora estes sejam deslocados no tempo.

O fim do sistema escravista, em 1888, coloca aos pensadores brasileiros uma questão até então não crucial: a construção de uma nação e de uma identidade nacional.[73] Ora, esta se configura problemática, tendo em vista a nova categoria de cidadãos: os ex-escravizados negros. Como transformá-los em elementos constituintes da nacionalidade e da identidade brasileira quando a estrutura mental herdada do passado, que os considerava apenas como coisas e força animal de trabalho, ainda não mudou? Toda a preocupação da elite, apoiada nas teorias racistas da época, diz respeito à influência negativa que poderia resultar da herança inferior do negro nesse processo de formação da identidade étnica brasileira.

A pluralidade racial nascida do processo colonial representava, na cabeça dessa elite, uma ameaça e um grande obstáculo no caminho da construção de uma nação que se pensava branca; daí por que a raça se tornou o eixo do grande debate nacional que se travava a partir do fim do século XIX e que repercutiu até meados do século XX. Elaborações especulativas e ideológicas vestidas de cientificismo dos intelectuais e pensadores dessa época ajudariam hoje, se bem reinterpretadas, a compreender as dificuldades que os negros e seus descendentes mestiços encontram para construir uma identidade coletiva, politicamente mobilizadora.

Apesar das diferenças de pontos de vista, a busca de uma identidade étnica única para o País tornou-se preocupante para vários intelectuais desde a primeira República: Sílvio Romero, Euclides da Cunha, Alberto Torres, Manuel Bonfim, Nina Rodrigues, João Batista Lacerda, Edgar Roquete Pinto, Oliveira Viana, Gilberto Freyre etc., para citar apenas os mais destacados. Todos estavam interessados na formulação de uma

---

[73] Ver uma análise mais aprofundada a respeito da identidade nacional. In: CARVALHO, José Murilo de. Entre a liberdade dos antigos e a dos modernos: *A República no Brasil. Dados.* Rio de Janeiro, IUPERJ/Vértice, 1989, v. 32, n. 3.

teoria do tipo étnico brasileiro, ou seja, na questão da definição do brasileiro enquanto povo e do Brasil como nação. O que estava em jogo, nesse debate intelectual nacional, era fundamentalmente a questão de saber como transformar essa pluralidade de raças e mesclas, de culturas e valores civilizatórios tão diferentes, de identidades tão diversas, numa única coletividade de cidadãos, numa só nação e num só povo.[74]

Todos, salvo algumas exceções, tinham algo em comum: influenciados pelo determinismo biológico do fim do século XIX e início deste, eles acreditavam na inferioridade das raças não brancas, sobretudo a negra, e na degenerescência do mestiço.

No seu pensamento, Sílvio Romero coloca a crucial questão de saber se a população brasileira, oriunda do cruzamento entre as três raças (branca, negra e índia) tão distintas, poderia fornecer ao País uma feição própria, original. Acreditava no nascimento de um povo tipicamente brasileiro, que resultaria da mestiçagem entre essas três raças e cujo processo de formação estava ainda em curso. Mas, desse processo de mestiçagem, do qual resultará a dissolução da diversidade racial e cultural e a homogeneização da sociedade brasileira, dar-se-ia a predominância biológica e cultural branca e o desaparecimento dos elementos não brancos.

"Todo brasileiro é um mestiço, quando não é no sangue, o é nas ideias."[75] Mas, não é por isso – completa – que o Brasil será uma nação de "mulatos", porque na mestiçagem a seleção natural faz prevalecer, após algumas gerações, o tipo racial mais numeroso, que no caso do Brasil é a raça branca, graças à intensificação da imigração europeia, ao fim do tráfico negreiro, ao decréscimo da população negra após a abolição e ao extermínio dos índios. Dentro de dois ou três séculos, a fusão entre as três raças será talvez completa e o brasileiro típico, mestiço, bem caracterizado. Fica claro para nós que a mestiçagem, no pensamento de Romero, representa apenas uma fase transitória e intermediária no pavimento da estrada que levaria a uma nação brasileira presumidamente branca.

---

[74]SEYFERTH, Giralda. As ciências sociais no Brasil e a questão racial. In: SILVA, Jaime da; BIRMAN, Patrícia e WANDERLEY, Regina (Orgs.). *Cativeiro e liberdade*. Rio de Janeiro, IUPERJ, 1989, p. 13.

[75]ROMERO, Sílvio. *História da literatura brasileira*. 29. ed., São Paulo, Cultrix, 1975, p. 13.

Por mais que Sílvio Romero possa acreditar no futuro próximo de um tipo racial e cultural genuinamente brasileiro, resultado da mestiçagem, seu pensamento demonstra algumas inconsistências. Contrariando sua predição, ele observa que o resultado dos grandes agentes transformadores, isto é, a natureza e a mescla de povos diversos ainda em ação, não pode ser determinado com segurança. Em outros momentos, ele disse: "ainda entre nós as três raças não desapareceram confundidas num tipo novo, e este trabalho será lentíssimo. Por enquanto a mescla das cores e a confusão nas ideias é o nosso apanágio".[76] Mais confiante, ele retoma:

> O povo brasileiro, como hoje se nos apresenta, se não constitui uma só raça compacta e distinta, tem elementos para acentuar-se com força e tornar-se um ascendente original nos tempos futuros. Talvez tenhamos ainda de repensar na América um grande destino histórico-cultural.[77]

Posicionando-se criticamente contra a tese otimista, defendida por João Batista Lacerda, de que negros, índios e mestiços desapareceriam dentro de um século,[78] ele revê sua posição anterior, na qual estimava que o processo de branqueamento levaria de três a quatro séculos. Ele volta a pensar que o processo tomaria uns seis ou sete séculos, se não mais – para a absorção de índios e negros.

> É preciso ser completamente ignorante em coisas de antropologia e etnologia para desconhecer o duplo fenômeno da persistência dos caracteres fundamentais das raças, por um lado, e, por outro lado, o fenômeno de cruzamento de todas elas, sempre que se acham em contato. O desaparecimento total do índio, do negro e do mestiço poderia ocorrer, apenas, se toda a miscigenação futura incluir um parceiro extremamente claro (senão branco)...[79]

---

[76] ROMERO, Sílvio. *Apud* SKIDMORE, Thomas E. *Preto no branco*. Rio de Janeiro, Paz e Terra, 1976, p. 53.

[77] ROMERO, Sílvio. *História da literatura brasileira*, 29. ed., São Paulo, Cultrix, 1975, p. 16; *apud* SKIDMORE, Thomas E. *Preto no branco*. Rio de Janeiro, Paz e Terra, 1976, p. 53.

[78] LACERDA, João Batista. *Sur les métis au Brésil*. Paris, Imprimerie Devouge, 1911.

[79] ROMERO, Sílvio. Prefácio a Tito Lívio da Costa (O Brasil e o negro). Outlok. V. 106, p. 410, 21 de fev., 1914, *apud* SKIDMORE, Thomas E. *Op. cit.*, p. 86.

Em seu livro *As raças humanas e a responsabilidade penal no Brasil*, cuja primeira edição data de 1894, Raimundo Nina Rodrigues, em desavença com Sílvio Romero, desacredita na tese desenvolvida por este último, segundo a qual era possível desenvolver no Brasil uma civilização a partir da fusão da cultura "branca" com as contribuições negras e índias, sendo as duas últimas consideradas por ele "espécies incapazes". Uma adaptação imposta e forçada de espíritos atrasados a uma civilização superior provocaria desequilíbrios e perturbações psíquicas.[80]

A evolução ontogênica é uma simples recapitulação abreviada da evolução filogênica, o que significa que o indivíduo herda os traços somáticos e o estágio mental correspondente à sua raça. Por isso, o atavismo pode se manifestar nos produtos de cruzamentos inter-raciais. A heterogeneidade tanto racial quanto cultural da população brasileira, constatada até o nível de distribuição espacial do País, leva Nina a rejeitar a unidade étnica projetada no pensamento de Sílvio Romero. Por isso, ele propôs, no lugar da unidade, a institucionalização e a legalização da heterogeneidade, através da criação de uma figura jurídica denominada responsabilidade penal atenuada. Com este instrumento, poderiam ser geridas as desigualdades entre as raças e seus subprodutos que compõem a população, contemplando a ausência de um mesmo grau de cultura mental.[81]

Sendo dadas as desigualdades entre as raças, seriam necessárias modificações na responsabilidade penal. A regra do contrato na sociedade brasileira, que considera todos os indivíduos iguais perante a lei, que é uma medida de defesa social, converte-se em pura repressão: índios, negros e mestiços não têm a mesma consciência do direito e do dever que a raça branca civilizada porque ainda não atingiram o nível de desenvolvimento psíquico, seja para discernir seus atos, seja para exercer o livre-arbítrio.

Nina ressalta que o modo pelo qual se ajustam os diversos elementos antropológicos para formar a sociedade brasileira é extremamente variável nas diversas zonas ou centros do País. Desde os tempos coloniais, a

---

[80] RODRIGUES, Raimundo Nina. *As raças humanas e a responsabilidade penal no Brasil*. Salvador, Livraria Progresso Editora, 1957, p. 90.
[81] RODRIGUES, Raimundo Nina. *Op. cit.*, p. 73.

população branca foi desigualmente distribuída pelo extenso território. A imigração de italianos e alemães concentrou-se em certas regiões do País com exclusão de outras, da mesma forma que foi desigualmente distribuída pelos invasores. Baseando-se nessas desproporções de distribuição no espaço geográfico nacional – de acordo com o clima, as áreas privilegiadas pela imigração branca, pela concentração dos negros, pela dizimação dos índios –, Nina reforça sua discordância da tese sustentada por Sílvio Romero sobre a existência de um tipo étnico brasileiro resultado da mestiçagem, através da qual realiza-se a predominância da raça branca.[82]

Falando dos feitos da mistura das raças em termos de conduta e de temperamento, Nina disse, citando Spencer:

> a julgar por certos fatos, a mistura entre as raças de homens muito dessemelhantes parece produzir um tipo sem valor, que não serve nem para o modo de viver da raça superior nem para o da raça inferior, que não presta enfim para gênero de vida algum...

Para ele, as raças cruzadas estão profundamente degradadas, e atribui essa degradação aos defeitos dos colonizadores portugueses que eram gente da pior espécie, proveniente de um povo atrasado e arredio da civilização europeia, ao insucesso das catequeses, ao calor excessivo do clima e à riqueza do solo. A população mestiça brasileira conhece uma escala que vai "do produto inteiramente inaproveitável e degenerado ao produto válido e capaz de manifestação superior". Essa mesma escala, portanto, deveria ser aplicada no exame da "responsabilidade moral e penal", e esta iria desde sua inteira negação em um extremo até a afirmação plena no extremo oposto.[83] Vista por esse ângulo, a criminalidade do mestiço brasileiro torna-se uma manifestação de fundo degenerativo e, portanto, ligada às más condições antropológicas do cruzamento. Essa ideia permite-lhe argumentar contra o livre-arbítrio:

---

[82] Ana Maria Medeiros da Fonseca, em sua Dissertação de Mestrado: *Das raças à família: um debate sobre a construção da nação*, apresentada no Departamento de História do Instituto de Filosofia e Ciências Humanas da UNICAMP, em 1992, oferece alguns pormenores a essa discussão, sobre esse autor.

[83] FONSECA, Ana Marta Medeiros da. *Op. cit.*, p. 130.

> a capacidade intelectual é uma função de organização cerebral, sobre a qual nada pode a vontade, que por sua vez não é mais do que uma manifestação dessa mesma organização.[84]

A institucionalização e a legislação da diferença são o único caminho que Nina oferece para responder à dificuldade de construção de uma única identidade nacional.

> Posso iludir-me, mas estou profundamente convencido de que a adoção de um código único para toda a República foi um erro grave que atentou grandemente contra os princípios mais elementares da fisiologia humana.
>
> Pela acentuada diferença de sua climatização, pela conformação e aspecto físico do País, pela diversidade étnica da sua população, já tão pronunciada e que ameaça acentuar-se ainda, o Brasil deve ser dividido, para os efeitos da legislação penal, pelo menos nas suas quatro grandes divisões regionais que [...] são tão naturais e profundamente distintas.[85]

O que teria acontecido se a elite dirigente do País tivesse institucionalizado as diferenças, de acordo com as ideias de Nina Rodrigues? Talvez o Brasil tivesse construído uma espécie de *apartheid*, cuja dinâmica teria levado a consequências e resultados imprevisíveis.

As características raciais inatas afetam o comportamento social e deveriam, por isso, ser levadas em conta pelos legisladores e autoridades policiais. Consequentemente, aos negros e índios deveria ser atribuída uma responsabilidade penal atenuada e aplicado um código penal diferente daquele da raça branca superior. No entanto, ele reconhece que alguns indivíduos, poucos, possam constituir uma exceção, em especial os mestiços, apesar da potencialidade em regredir por causa do atavismo. Para não injustiçar os mestiços excepcionais do ponto de vista da responsabilidade penal, Nina vai operar uma classificação, dividindo todos os mestiços em três categorias: o mestiço tipo superior, inteiramente responsável; o mestiço degenerado, parcial e totalmente irresponsável;

---

[84] RODRIGUES, Raimundo Nina. *As raças humanas... Op. cit.*, p. 127.
[85] RODRIGUES, Raimundo Nina. *Op. cit.*, p. 166-167.

o mestiço instável, igual ao negro e ao índio, a quem se poderia atribuir apenas a responsabilidade atenuada.[86] Seu raciocínio não explica como e a partir de que critérios seria possível operar essa diferenciação e quem poderia fazê-la. Contrariando a maioria da elite, ele não vê no mestiço um caminho que levasse mais cedo ou mais tarde a um Brasil branco. A influência do negro, disse, há de construir sempre um dos fatores da nossa inferioridade como povo; nada poderá deter a eliminação do sangue branco.[87] A miscigenação apenas atrasa o processo de enegrecimento da população, mas não o resolve. De certo modo, Nina vê na mestiçagem um produto e um resultado diametralmente oposto ao vislumbrado por Romero. Em vez do branqueamento, ele vê o enegrecimento.

> Não acredito na unidade ou quase unidade étnica, presente ou futura, da população brasileira, admitida pelo Dr. Sílvio Romero. Não acredito na futura extensão do mestiço luso-africano a todo o território do país, considero pouco provável que a raça branca consiga predominar o seu tipo em toda a população brasileira.[88]

Nina preocupa-se, sobretudo, com o norte do Brasil, onde o clima intertropical, inóspito aos brancos, impossibilitaria a sua adaptação e, consequentemente, a sua instalação naquela região. Em contrapartida, o processo de branqueamento triunfaria no sul do Brasil, de clima temperado. Baseado nesse determinismo climático, Nina temia a possibilidade de um Brasil racialmente dividido entre o sul branco e o norte mestiço. A barreira climática à expansão do branco em todo o território nacional, de um lado, e as vastas proporções da mestiçagem, de outro, acabarão, durante um longo tempo, por privar o País da liderança da raça branca, contrariamente aos Estados Unidos.[89]

Em *Os sertões* (1902), Euclides da Cunha retoma a questão da existência de um tipo étnico caracteristicamente brasileiro, que resultaria da convergência dos cruzamentos sucessivos dos três grupos raciais origi-

---

[86] RODRIGUES, Raimundo Nina. *Op. cit.*, p. 161, 169, 215-217.

[87] RODRIGUES, Raimundo Nina. *Os africanos no Brasil*. 3. ed., São Paulo, Companhia Editora Nacional, p. 28.

[88] RODRIGUES, Raimundo Nina. *As raças humanas... Op. cit.*, p. 126.

[89] RODRIGUES, Raimundo Nina. *Os africanos no Brasil. Op. cit.*, p. 28.

nais.[90] Contrariamente a Sílvio Romero, que acredita na existência futura de um tipo racial nacional único, Euclides da Cunha pensa que existem vários tipos devido à heterogeneidade racial, aos cruzamentos, ao meio físico e à variedade de situações históricas. Para ele, o mestiço, traço de união entre raças, é quase sempre um desequilibrado, um decaído, sem a energia física dos ascendentes selvagens e sem a atitude intelectual dos ancestrais superiores. Apesar da fecundidade, que por acaso possuía, o mestiço apresenta caso de hibridez moral extraordinária: espírito às vezes fulgurante, às vezes frágil, irrequieto e inconstante; seu vigor mental e sua capacidade de generalização e abstração repousam sobre uma moralidade rudimentar herdada do automatismo impulsivo das raças inferiores. Na luta sem trégua pela vida que envolve todos os povos e na qual a seleção natural conserva os mais aptos hereditariamente, o mestiço é um intruso. Surgiu de repente, sem caracteres próprios, oscilando entre influxos opostos de legados discordes. Sua instabilidade vem de sua tendência em regredir às matrizes originais.[91] Euclides retoma o tema do atavismo já presente no pensamento de Nina Rodrigues para explicar a instabilidade do mestiço, ou seja, a ideia de que a mestiçagem entre raças superiores e inferiores apaga as qualidades das primeiras e faz reaparecer as das últimas.

Canudos forma, segundo ele, uma comunidade homogênea e uniforme, biológica e culturalmente. Biologicamente, é uma raça resultante dos cruzamentos entre lusos e índios (os curibocas e cafuzos). Culturalmente, porque foi submetida às mesmas condições geográficas e históricas.

As fazendas de criação implantadas nos arredores atraíram estes tipos de mestiço, curibocas e cafuzos trigueiros divorciados inteiramente da colonização litorânea e que adquiriram uma fisionomia original.[92]

No pensamento de Euclides, o Brasil não pode ser considerado como um povo, uma nação, porque é etnologicamente indefinido por falta de tradições nacionais uniformes. Percebe-se que ele ficou também

---

[90] CUNHA, Euclides da. *Os sertões*. 14. ed., Rio de Janeiro, Francisco Alves, 1938, p. 65-66.
[91] CUNHA, Euclides da. *Op. cit.*, p. 108.
[92] CUNHA, Euclides da. Apud FONSECA, Ana Maria Medeiros da. Op. cit., p. 47.

preso às doutrinas racistas de sua época na explicação do comportamento dos sertanejos que considera superiores aos mulatos mais degenerados. Embora simpatizasse com os insurgentes de Canudos e condenasse, no plano administrativo e militar, os tratamentos que lhes foram infligidos, em outro plano ele os condena, ao atribuir a rebelião, em grande parte, à instabilidade emocional e especialmente à personalidade atávica do líder Antônio Conselheiro.[93]

A miscigenação em grande escala constituía, para ele, o mais sério dos problemas que o Brasil enfrentava. Se a miscigenação originava a instabilidade, quanto tempo levar-se-ia para chegar ao equilíbrio? Ou não se poderia esperar isso nunca? E, nesse caso, qual seria o resultado final? Embora nunca tomasse posição, explicitamente, em favor da evolução biológica de todo o País, Euclides previa, implicitamente, a aparição eventual de um produto homogêneo, que seria alguma coisa mais próxima da mistura índio-branco. Colocava a interessante questão de saber se a provável integração étnica viria antes ou depois da integração social, ou se ambos os processos poderiam acontecer simultaneamente. No seu entender, esperar o mal-definido processo de amalgamação étnica para realizar a integração política e econômica teria sido desmoralizante. Pensava que, para realizar a provável integração étnica, o governo e a elite deveriam se empenhar no sentido de dirigi-la. A resposta a essa direção era a emigração europeia. Paralelamente a tal solução, Euclides pensava que os setores baixos e nativos, nos quais se encontrava a maior parte dos brasileiros não brancos, exigiam, política e economicamente, um tratamento diferente e que a reação de Canudos por ele pintada em *Os sertões* era uma advertência terrificante ao governo.[94]

Clóvis Moura teceu algumas críticas contra *Os sertões*, em especial no que diz respeito ao preconceito antinegrista de Euclides. Ele

> não podia aceitar de bom grado que aqueles sertanejos por ele idealizados, elevados à categoria de símbolos, que eram o cerne da nossa raça, tivessem recebido grande influência do sangue e das culturas

---

[93] CUNHA, Euclides da. *Obra completa*. v. 2, p. 193-214.
[94] CUNHA, Euclides da. *Apud* SKIDMORE, Thomas E. *Preto no branco. Op. cit.*, p. 126.

negras. Essa influência negativa ficaria reservada aos "mestiços" neurastênicos do litoral, evidentemente os mulatos. Para ele, o elemento negro estancou nos vastos canaviais da Costa, agrilhoado à terra e determinado pelo cruzamento de todo o diverso que se fazia no recesso das capitanias.[95]

O negro era o componente de uma raça inferior. Na tríade da mestiçagem, o português, apesar de demonstrar que já era mestiço, não deixa de ser a raça superior, aristocrática. O próprio índio que ele ressaltava não tinha a capacidade de se afeiçoar às mais simples concepções de um mundo mental superior. Quanto ao africano, não há esforços que consigam aproximá-lo sequer do nível intelectual do indo-europeu. "No seu parêntese irritante não há lugar para o mestiço, aqui sinônimo de mulato. É um desequilibrado. De um desequilíbrio incurável, pois não há terapêutica para este embater de tendências antagonistas."[96]

Do seu lado, Dante Moreira Leite, analisando a obra de Euclides da Cunha, levanta aparentes contradições a respeito de sua posição sobre a mestiçagem. Se o sertanejo é um forte no pensamento de Euclides, isso se explica porque, ao contrário do mestiço do litoral, ele já constitui uma raça autônoma e, além disso, não é obrigado a enfrentar uma civilização superior à sua capacidade. A contradição se refere a duas ideias aparentemente incompatíveis: o fato de o Brasil não ter unidade de raça e, depois, a ideia de que o sertanejo é a rocha viva da nacionalidade. Euclides supunha que o sertanejo constituía uma raça e, a partir dela, o Brasil poderia desenvolver uma nação autêntica. Visto desse ângulo, ele se opõe claramente a Sílvio Romero para, quem o brasileiro futuro resultaria do "branqueamento" da população. Para Euclides, o mestiço seria sempre um desequilibrado e só a raça sertaneja poderia constituir a raça brasileira. Enquanto Sílvio Romero imaginava a necessidade de sucessivas ondas de imigrantes – capazes de compensar a degeneração dos mestiços –, Euclides imaginava que o isolamento permitiu a formação de uma raça superior às encontradas no litoral.[97] Todos os ensaístas brasileiros da

---

[95] MOURA, Clóvis. *As injustiças de Clio*. Belo Horizonte, Oficina de Livros, 1990, p. 187.

[96] MOURA, Clóvis. *Op. cit.*, p. 188.

[97] LEITE, Dante Moreira. *O caráter nacional brasileiro*. 2. ed., São Paulo, Biblioteca Pioneira de Ciências Sociais, 1969, p. 208.

época, entre os quais Sílvio Romero e Euclides da Cunha, aderiram ao conceito de raças superiores e inferiores. Em ambos, o racismo foi mitigado pela ideia de miscigenação: em Sílvio Romero, haveria branqueamento da população, salvando-se da degeneração; em Euclides da Cunha, o mestiço do interior do Norte já estaria se constituindo em raça e, futuramente, seria capaz de desenvolvimento mental. Em ambos não seria errado falar em preconceito, principalmente contra o negro, mais nítido, talvez, em Euclides, pois este, ao falar no seu mestiço privilegiado do Sertão, considerava-o resultante de um cruzamento do branco com o índio, e não com o negro localizado no litoral.[98]

Na sua obra *O problema brasileiro*, Alberto Torres desloca diametralmente o eixo da discussão sobre a formação da nacionalidade e da identidade brasileiras. Para ele, a diversidade racial não constitui obstáculo à constituição da identidade do povo brasileiro.

> Nenhum dos povos contemporâneos é formado de uma raça homogênea e isto não lhe impediu de formar uma nação, moral, política e socialmente [...]. Se os indígenas, os africanos e seus descendentes não puderam "progredir e aperfeiçoar-se", isto não se deve a qualquer incapacidade inata, mas ao abandono "em vida selvagem ou miserável, sem progresso possível".[99]

O Brasil, como todos os países novos que nasceram do descobrimento e da colonização, comparativamente aos países e nações antigos, deveria construir artificialmente sua nacionalidade. Por isso, Torres destaca a importância do nacionalismo para um país jovem, que "jamais chegará à idade da vida dinâmica sem fazer-se 'nação', isto é, sem formar a base estática, o arcabouço anatômico, o corpo estrutural da sociedade política".[100] O grande problema nacional, segundo ele, não está na diversidade racial, mas sim na inadequação entre a realidade do país e as instituições tomadas de empréstimo das nações antigas, o que resulta na

---

[98] LEITE, Dante Moreira. *Op. cit.*, p. 215.

[99] TORRES, Alberto. Senso, consciência e caráter nacional. In: *O problema nacional brasileiro: introdução a um programa de organização nacional*. 4. ed., Cia. Editora Nacional/UnB, Brasília, 1982, p. 28-29.

[100] TORRES, Alberto. *Apud* FONSECA, Ana Maria Medeiros da. *A organização nacional. Op. cit.*, p. 75.

alienação da realidade nacional. A nação, pensa ele, é feita de diversidades raciais e culturais, contrariamente à ideia da nação como conjunto de tradições comuns. E,

> para fazer do Brasil uma nação com semelhantes características, é necessário, em primeiro lugar, entender que nas sociedades formadas por várias raças a solidariedade política, jurídica e econômica envolve o interesse atual e futuro de todas as raças, num mesmo interesse e num mesmo compromisso de apoio mútuo [...] e que a forma destes interesses "comuns" *dos homens da mesma geração, e do sentimento de previdência, em prol das vindouras, resulta da consciência da nacionalidade.*[101]

Um dos caminhos reside naquilo que ele mesmo chamou de "educar o patriotismo" para criar artificialmente a nacionalidade.[102]

Os trabalhos recentes em antropologia e arqueologia (por ex., F. Boas e Ratzel) ajudaram Torres a rejeitar a doutrina racista e as ideias de desigualdade racial e da inferioridade étnica do Brasil. O problema do Brasil, segundo ele, podia ser explicado a partir da exploração do País por estrangeiros, cuja rapidez levava ao esgotamento dos recursos naturais a uma taxa alarmante, ao crescente controle dos setores dinâmicos da economia por capitalistas e estrangeiros e ao abandono sistemático da população nacional em favor de imigrantes estrangeiros que recebiam privilégios especiais.[103] A verdadeira raiz do problema nacional, na opinião dele, estava na alienação das elites da realidade nacional. Foi por isso que elas se tornaram presa fácil das teorias de degenerescência propagadas pelos racistas europeus. Torres teve a coragem de rejeitar a moldura determinística de referência, ajudando a exorcizar o espectro da inferioridade racial e abrindo caminho para novas indagações sobre o futuro da nacionalidade brasileira.[104]

Manuel Bonfim constitui, junto com Alberto Torres, voz discordante das doutrinas racistas em voga na sua época. Realizou uma análise cuidadosa das causas históricas para entender o atraso relativo do Brasil e da América Latina. Os problemas herdados da era colonial – a mentalidade

---

[101] TORRES, Alberto. *Op. cit.*, p. 109, 114, 123.
[102] FONSECA, Ana Maria Medeiros da. *Op. cit.*, p. 164.
[103] SKIDMORE, Thomas E. *Op. cit.*, p. 137.
[104] SKIDMORE, Thomas E. *Op. cit.*, p. 141.

de ficar rico depressa, a ausência de tradição científica ou empírica, combinadas com uma cultura hiperlegalista, o arraigado conservadorismo político e a ausência de organização social – figuram entre os elementos que explicariam esse atraso. Ou seja, a história e o caráter nacional examinados a partir do caráter ibérico, nos albores da colonização e, depois, no curso da própria colonização que, ao contrário da colonização inglesa na América do Norte, fora apenas predatória.[105]

Criticou a política populacional brasileira, por haver abandonado os ex-escravizados, depois da abolição, além de acusar os latino-americanos de copiarem indiscriminadamente instituições alienígenas, especialmente em política. Recomendava o aumento do ensino e a diversificação da economia como saída:

> A despeito de séculos de parasitismo, os latino-americanos poderiam ainda vencer o seu atraso. Seria preciso apenas corrigir, educar ou eliminar os elementos degenerados. A real inferioridade da América Latina estava na sua falta de habitação e de educação. Mas isso é curável, é facilmente curável... A necessidade imprescindível é atender-se à instrução popular, se a América Latina se quer salvar.[106]

No seu trabalho *The métis, or half-breeds, of Brazil*, apresentado no primeiro Congresso Universal de Raças, organizado na Universidade de Londres, de 26 a 29 de julho de 1911, João Batista Lacerda, então diretor do Museu Nacional, considerava os mestiços obviamente inferiores aos negros como mão de obra agrícola e tendo pouca resistência às moléstias. Porém, física e intelectualmente, ele os considerava acima do nível dos negros. Rejeitando a teoria de que os fatores relativos à hibridação de animais podiam ser aplicados a seres humanos, ele pensava que o cruzamento de preto com branco não produz geralmente progenitura de qualidade intelectual inferior. Embora não fossem capazes de competir em outras qualidades com raças mais fortes de origem ariana e não tivessem instinto civilizador tão pronunciado quanto às raças brancas, nem por isso os mestiços devem ser colocados no nível das raças realmente inferiores.

---

[105] BONFIM, Manuel. *A América Latina: males de origem*. Rio de Janeiro, s/d, p. 3, *apud* SKIDMORE, Thomas. *Op. cit.*, p. 135.

[106] SKIDMORE, Thomas E. *Op. cit.*, p. 135.

Para ilustrar essa posição intermediária dos mestiços, Lacerda invocava o grande papel que tiveram na história do Brasil, ascendendo aos altos cargos políticos e administrativos, quando o novo regime, isto é, a República, abriu as portas a todos os talentos. Além disso, os casamentos interraciais entre mulatos e brancos são mais tolerados em função dessa alta posição, levando ao esquecimento de sua origem negra por causa de sua aproximação das qualidades morais e intelectuais brancas. Já se viu no Brasil, afirmava João Batista Lacerda, filhos de mestiços apresentarem na terceira geração todos os caracteres físicos da raça branca. Alguns, admitia, retêm uns poucos traços de sua ascendência negra por influência do atavismo, mas as miscigenações removem dos descendentes dos mestiços os traços da raça negra... Em virtude desse processo de redução étnica, é lógico esperar que, no curso de mais um século, os mestiços desapareçam no Brasil. Isso coincidiria com a extinção paralela da raça negra em nosso meio[107]. Desde a abolição, os pretos tinham ficado expostos a toda espécie de agentes de destruição e sem recursos suficientes para se manter. Agora, espalhados pelos distritos de população mais rala, tendem a desaparecer de nosso território.[108]

Usando as estatísticas de Roquete Pinto, Lacerda faz uma projeção da composição racial da população brasileira até o ano 2012, na qual a população branca subiria a 80% no século intermediário, enquanto a negra cairia para zero e a mestiça estimada em 28%, em 1912, chegaria a 3%.[109]

O censo de 1940 confirmaria as projeções de Lacerda, ao apresentar uma população branca de 63% do total nacional.

A leitura de *Os sertões* teria influenciado profundamente Edgar Roquete Pinto na sua decisão de se tornar etnólogo. No entanto, ele conseguiu escapar dos fundamentos racistas da antropogeografia, ao contrário do seu influenciador, Euclides da Cunha.[110]

---

[107] LACERDA, João Batista. *Apud* Skidmore, Thomas E. *Op. cit.*, p. 83.

[108] LACERDA, João Batista. *Ibidem.*

[109] LACERDA, João Batista. *O congresso universal das raças reunido em Londres* (1911): Apreciação e comentário pelo Dr. J. B. Lacerda, delegado do Brasil nesse congresso. Rio de Janeiro, 1912, p. 85-102, *apud* Skidmore, Thomas. *Op. cit.*, p. 84.

[110] PINTO, E. Roquete. *O Brasil e a antropogeografia*. Rio de Janeiro, 1927, p. 45-79. *Apud* Skidmore, Thomas. *Op. cit.*, p. 205.

Lamentando a ignorância brutal na qual vivia mergulhado o negro brasileiro, diz que, se este tivesse recebido uma educação apropriada, seria capaz de grande progresso, como ocorreu nos Estados Unidos. Quanto ao processo do branqueamento da população negra, Pinto forneceu estatísticas nos idos de 1911 que o estimavam já em 50%. Aliás, foram essas estatísticas que João Batista Lacerda utilizou para se defender contra as críticas que o acusavam de falsear para menos o tempo que levaria o processo no Brasil. Mas, apesar de constatar o crescente processo de branqueamento da população brasileira, ele pensava que o problema nacional não era a diversidade racial. O problema, segundo ele, residia na educação de todos, claros e escuros.[111] Refutava a teoria da degenerescência dos mestiços que Euclides da Cunha havia retomado de Agassiz, considerando inferiores aqueles que, do seu ponto de vista, eram apenas atrasados, incapazes e ignorantes por falta da educação. O temor de que o Brasil jamais conseguisse uma unidade racial é uma falsa preocupação. Ele aderiu ao pensamento de Alberto Torres e Manuel Bonfim, que defendiam a tese de que a unidade nacional num novo país surgido da colonização era de natureza sociológica, ou seja, político-econômica e jamais racial.[112]

O nome de Francisco José de Oliveira Viana talvez seja o mais referido nos debates sobre a ideologia do branqueamento da sociedade brasileira; não por ele ter inventado algo cuja paternidade pertence aos predecessores acima tratados, mas por ter sido o sistematizador e enfatizador de um complexo de ideias racistas que teriam sido superadas pelos progressos alcançados na antropologia de sua época (vide F. Boas). Dentro de sua obra considerável, são numerosos os títulos que trataram dessa questão:

> Populações meridionais do Brasil; Evolução do povo brasileiro; Recenseamento de 1920, o povo brasileiro e sua evolução; Raça e assimilação – O tipo étnico brasileiro e seus formadores; La Formation Ethnique du Brésil Colonial; Raça e seleções étnicas etc.

Segundo Viana, os mestiços são produtos históricos dos latifúndios e, portanto, uma força nova na história colonial. Neles nota-se a tendência

---

[111] SKIDMORE, Thomas E. *Op. cit.*, p. 206.
[112] SKIDMORE, Thomas E. *Op. cit.*, p. 207.

a expungir de si, por todos os meios, os sinais da sua bastardia originária. Mameluco se faz inimigo do índio, e o mulato desdenha e evita o negro. Ambos foram utilizados para combater e destruir os quilombos. Mameluco, capitão sanguinário e truculento a serviço dos bandeirantes, e o mulato, capitão do mato e terrível perseguidor dos escravos foragidos.[113] Essa tentativa do mestiço em ter uma posição específica na sociedade é provisória e ilusória, porque o branco superior, de classe alta, o repele. E como, por sua vez, ele foge dos negros e índios das classes inferiores, acaba numa situação social indefinida e torna-se um desclassificado permanente na sociedade colonial.

> Daí a sua psicologia estranha e paradoxal. Essa humilhação social, a que o meio submete, fere-o. Debaixo dessa ofensa constante, a sua irritabilidade se aviva, a sua sensibilidade se apura; crescem-lhe por igual a prevenção, a desconfiança, a animosidade, o rancor. Fica, a princípio, irritável, melindroso, susceptível. Torna-se, depois, arrogante, atrevido, insolente. Acaba agressivo, sarcástico, truculento, rebelde.[114]

Por outro lado, o mestiço, no domínio rural, tem uma vida folgada e divertida, porque não gosta do trabalho na lavoura. Para reforçar essa ideia, Viana lança mão da fala do Padre Antonil e do testemunho do viajante holandês Zacarias Wagner. O primeiro, repetindo o ditado da sociedade do seu tempo, escreveu que: "O Brasil é o inferno dos negros, purgatório dos brancos e paraíso dos mulatos e mulatas". O segundo contou que "os mulatos nada fazem. Mimosos do tempo, vivem caçando passarinhos e comendo frutas selvagens [...] São, contudo, bons soldados e amam o serviço militar".[115]

> Por aí se vê que o mestiço é, na sociedade colonial, um nômade. Liberto do trabalho rural, egresso dos engenhos, mal fixo à terra, a sua instabilidade é evidente. É um desplantado, um deslocado, um infixo. Por isso, o seu nomadismo de caçador se transforma facilmente no

---

[113] VIANA, Francisco José de Oliveira. *Populações meridionais do Brasil*. São Paulo. Edições da Revista do Brasil – Monteiro Lobato e Cia. Editores. 1920, p. 69.
[114] VIANA, Francisco José de Oliveira. *Op. cit.*, p. 69.
[115] VIANA, Francisco José de Oliveira. *Op. cit.*, p. 70.

nomadismo guerreiro do sertanista. Desde o primeiro século nós o vemos afluir, em tropel, ao grito da condenação, nos matulas dos caudilhos ou no corpo dos bandeiras.[116]

Apesar de ser o mestiço infixo e desocupado, o senhor rural tem interesse em conservá-lo, pois ele é quem garante a defesa dos seus domínios; ele forma os contingentes sertanistas; o batedor das bandeiras; o seu elemento combativo e guerreiro. No entanto, essa função protetora a ele atribuída não foi capaz de afastar os preconceitos negativos em seu detrimento. Ter a pele clara, provir do "sangue" europeu, não ter mescla com as raças "inferiores", principalmente a negra, constituía, segundo as ideias da época, o distintivo da nobreza, da superioridade social e moral.[117]

Refletindo sobre o comportamento dos mestiços na época colonial, aqui descritos por Viana, podemos especular que eles caíram numa armadilha ao buscar uma classificação social que os distinguisse dos negros e dos índios, como estariam hoje numa outra armadilha ao não assumir a identidade negra. Esse passado do comportamento do mestiço na era colonial, talvez fruto de uma política de dividir para melhor dominar, ofereceria os primeiros elementos explicativos da desconstrução da solidariedade entre negros e "mulatos" que repercute até hoje no processo de formação da identidade coletiva de ambos.

Esses preconceitos contra os mestiços não se limitaram ao discurso ideológico. Refletiram-se com nitidez na legislação e na organização administrativa da época. Na carta de lei de 1808, eles foram afastados da propriedade da terra. Havia batalhões especiais de pardos e justiça específica para pardos.[118]

Partindo da ideia de que, entre as numerosas nações negras trazidas ao Brasil, existiam enormes diversidades tanto somáticas como psicológicas, comparativamente aos brancos, Viana concluiu que o cruzamento entre os elementos dessas nações e os lusos deu também origem a uma variedade correspondente de mestiços, o que torna ab-

---

[116] VIANA, Francisco José de Oliveira. *Ibidem.*
[117] VIANA, Francisco José de Oliveira. *Op. cit.*, p. 103.
[118] VIANA, Francisco José de Oliveira. *Op. cit.*, p.104.

surda a procura da unidade psicológica do mulato e a fixação de sua unidade antropológica.

> O mulato como um tipo único, tal como o branco, ou o negro, é uma pura abstração; não tem realidade objetiva [...]. Toda tentativa, que procure reduzir a incontrolável variedade de mulatos a um só tipo somático-psicológico, há de falhar forçosamente. Cada um desses mulatos reflete: em parte a índole do tipo negro, de que provêm; em parte a do luso; mas tudo subordinado à ação das seleções étnicas e dos atavismos, que variam ao infinito no produto as tendências hereditárias de cada elemento formador.[119]

Com base nessa formulação, Viana acredita na existência do mulato inferior e do superior. O primeiro, resultado do cruzamento do branco com o negro do tipo inferior, é um mulato incapaz de ascensão, degradado nas camadas mais baixas da sociedade. O segundo, produto do cruzamento entre branco e negro do tipo superior, é ariano pelo caráter e pela inteligência ou, pelo menos, é suscetível de arianização, outro modo capaz de colaborar com os brancos na organização e civilização do País. "São aqueles que em virtude de caldeamentos felizes mais se aproximam pela moralidade e pela cor do tipo da raça branca superior."[120] Eles tendem a subir, a insinuar-se e dissimular-se entre os brancos, aristocratizando-se. A fuga do seu meio nativo era o melhor e o mais rápido recurso para realizar esse objetivo. Por isso emigraram, engajaram-se nas bandeiras que lhes permitiram a posse da terra à qual não teriam acesso em seus meios originais.[121] Os casamentos ofereceram outro caminho de classificação dos mestiços "superiores". Mas isso só foi possível depois da Independência, com a fundação das academias, graças às quais eles conseguiram títulos de doutores que lhes permitiram vencer certas repugnâncias da classe branca.[122] Resumindo: Os mestiços "superiores" conseguiram, por meio do casamento e pela posse da terra nos novos núcleos, incorporar-se à classe superior, à nobreza territorial, usando a sua identificação com a aristocracia rural pela similitude de caráter, de conduta e, principalmente,

---

[119] VIANA, Francisco José de Oliveira. *Op. cit.*, p. 106.
[120] VIANA, Francisco José de Oliveira. *Op. cit.*, p. 106.
[121] VIANA, Francisco José de Oliveira. *Op. cit.*, p. 107.
[122] VIANA, Francisco José de Oliveira. *Op. cit.*, p. 108.

de cor. Os mestiços "inferiores", os menos dissimulados, os facilmente reconhecíveis, os estigmatizados, os cabras... esses foram implacavelmente eliminados.[123]

Do nosso ponto de vista, não resta dúvida de que esses mecanismos seletivos quebraram a unidade entre os próprios mulatos, dificultando a formação da identidade comum do seu bloco, já dividido entre os disfarçáveis (mais claros) e os indisfarçáveis (mais escuros) e o resto dos visivelmente negros.

Como Nina Rodrigues, Viana acredita no atavismo, ou seja, numa lei antropológica inevitável que faz com que os indivíduos resultantes da mestiçagem tendam a retomar as características físicas, morais e intelectuais das raças originais. Acrescente-se a essa lei o fato de que, nos cruzamentos entre as raças muito distintas, ilustrados pelas misturas entre brancos e negros, os retornos são, em regra, acompanhados de um caráter degenerescente. Em outras palavras, os mestiços de brancos e negros, os mulatos, tendem, na sua descendência, a voltar ao tipo inferior, aproximando-se dele mais e mais pela índole e pelo físico. Seu caráter nunca pode atingir a pureza e a integridade da raça primitiva a que regressam.[124]

> Tendo de harmonizar as duas tendências étnicas, que se colidem na sua natureza, acabam sempre por se revelar uns desorganizados morais, uns desarmônicos psíquicos, uns desequilibrados funcionais.[125]

Viana aproxima-se também de Euclides da Cunha quando diz que os nascidos do cruzamento com índio "parecem, pelo menos no físico, superiores aos mulatos: são rígidos e sólidos". A distância racial entre branco e índio é menor que a entre branco e negro. Acrescente-se à distância racial o fato dos mulatos resultarem de uma raça servil comparativamente aos mamelucos que não o são. Em consequência dessas diferenças, os mamelucos tiveram maior capacidade de ascensão que os mulatos na sociedade colonial. Por isso, na orgulhosa nobreza vicentina,

---

[123] VIANA, Francisco José de Oliveira. *Ibidem*.
[124] VIANA, Francisco José de Oliveira. *Op. cit.*, p. 109.
[125] VIANA, Francisco José de Oliveira. *Ibidem*.

não foram raros os tipos confessadamente oriundos de mestiçagem entre os índios e brancos.[126]

Fica bastante difícil para nós entendermos como Viana conseguiu inventar indivíduos que, por mais miscigenados que fossem, tivessem mentalidades justapostas na cabeça, e essa justaposição se faz de acordo com a origem dos seus ancestrais. Também fica difícil entender como ele ignorou que o contexto colonial não podia favorecer as possibilidades de ascensão, cuja falta ele joga no negro, índio e mestiço. Em vez de criticar a situação colonial e o colonizador, que reprimiram as oportunidades de manifestação dessa vontade, ele encontra a explicação na psicologia da própria vítima.

Apesar de sua crença no atavismo e na degenerescência dos mestiços, em particular os mulatos, Viana aposta no processo de apuramento sucessivo, capaz de levar ao branqueamento da sociedade brasileira. Seu raciocínio é o seguinte: sob influência regressiva dos atavismos étnicos, uma parte dos mestiços (supostamente inferior) será eliminada pela degenerescência ou pela morte, pela miséria moral e física. Uma outra parte (supostamente superior), porém minoria, estará sujeita, em virtude de seleções favoráveis, a apuramentos sucessivos que a levarão, após quatro ou cinco gerações, a perder seus sangues inferiores e a clarificar-se cada vez mais. Mas, completa o autor: no passado colonial e, sobretudo, durante os séculos da escravidão, esse processo de clarificação, que ele chama "arianização", não podia se desenvolver por causa do afluxo incessante dos sangues negros e índios que o neutralizava no seio da massa mestiça e elevava o índice de "nigrescência" da sociedade brasileira dessa época.[127]

A ascensão dos mestiços superiores não pode ser explicada em função da afirmação de sua mentalidade mestiça ou dos característicos híbridos do seu tipo. Ao contrário, eles ascendem quando deixam de ser psicologicamente mestiços graças ao processo de arianização.[128]

> Os mestiços inferiores – os que, por virtude de regressões atávicas, não têm capacidade de ascensão, nem desejo de operar essa ascensão – estes, sim, é que ficam dentro do seu tipo miscigenado. Na composição do nosso caráter coletivo entram, mas apenas como força

---

[126] VIANA, Francisco José de Oliveira. *Ibidem*.
[127] VIANA, Francisco José de Oliveira. *Op. cit.*, p. 112-113.
[128] VIANA, Francisco José de Oliveira. *Op. cit.*, p. 114.

repulsiva e perturbadora. Nunca, porém, como força aplicada a uma função superior: como elemento de síntese, coordenação, direção.[129]

A amoralidade constitutiva torna os mestiços inferiores inaptos às atitudes que exigem disciplina e continuidade. No plano moral, intelectual, legal, político, econômico e social, eles serão sempre, por exigência da própria fisiologia, uns excessivos, uns instáveis, uns irregulares, uns descontínuos, uns subversivos.

> Por isso, a anarquia é para ele a verdadeira liberdade. Sempre o vemos amotinado contra o poder: do lado dos liberais, se estão no poder os conservadores; ao lado dos conservadores, se estão no poder os liberais. O poder que impõe, que ordena, que disciplina, que coage, que restringe, que encarcera, é que é o seu grande inimigo. Pela indisciplina fundamental de seu temperamento, nessa força de coação e de ordem, ele vê, antes de tudo, um aparelho que importuna e molesta. Daí essas atitudes de rebeldia e insurgência, em que dá desafogo aos seus instintos explosivos, contidos e reprimidos pela vigilância policial e pela ação das leis.[130]

Na nossa interpretação de Viana, todos os mestiços "superiores" e "inferiores", de acordo com sua classificação, são definidos a partir de características físicas aparentes (o fenótipo) do que pelo genótipo. Ou seja, as qualidades morais e intelectuais dos mestiços são definidas por sua aparência física mais ou menos negroide, mais ou menos caucasoide, isto é, a partir de seu grau de arianização. Visto por esse ângulo, Viana é um dos grandes protagonistas da construção da ideologia racial brasileira, caracterizada pelo ideal do branqueamento que Oracy Nogueira teve mais tarde o mérito de configurar como preconceito de "marca" ou de "cor" em oposição ao preconceito de "origem", baseado numa gota de sangue, vigente nos Estados Unidos.

Ao seu arcabouço ideológico centrado no branqueamento, Viana acrescenta uma nova dimensão não menos importante: a igualdade e a harmonia existentes entre todos os segmentos étnico-raciais da sociedade brasileira. Desse modo, política, social e economicamente, a diversidade racial no Brasil não coloca nenhum problema, comparativamente aos povos da Europa e da América do Norte.

---

[129] VIANA, Francisco José de Oliveira. *Ibidem*.
[130] VIANA, Francisco José de Oliveira. *Op. cit.*, p. 192-193.

> Em nenhum país do mundo coexistem uma tamanha harmonia e tão profundo espírito de igualdade entre os representantes de raças tão distintas. Homens de raça branca, homens de raça vermelha, homens de raça negra, homens mestiços dessas três raças, todos têm aqui as mesmas oportunidades econômicas, as mesmas oportunidades sociais, as mesmas oportunidades políticas. Está, por exemplo, ao alcance de todos a propriedade da terra. Franqueados a todos os vários campos de trabalho, desde a lavra da terra às mais altas profissões.[131]

Se a diversidade racial brasileira não cria nenhum problema do ponto de vista político, graças à igualdade de oportunidades entre todos no plano socioeconômico, diz Viana, surgem gravíssimos problemas do ponto de vista antropológico e psicológico, devido às diferenças inconfundíveis entre as três raças. Daí a dificuldade de fixar um tipo racial nacional por causa da mestiçagem que, indefinidamente, produz tipos diversos, agravando a situação do ponto de vista psicológico, pois aos tipos antropológicos diversos correspondem também tipos psicológicos infinitamente distintos. Reconhece, portanto, a existência dos problemas sociais oriundos dessa diversidade de tipos étnicos e psicológicos. Mas ele explica esses problemas com base na diferença do eugenismo entre as três raças e, consequentemente, na potencialidade ascensional de cada uma delas, o que é uma visão darwinista-social e uma legitimização das desigualdades que ele nega no plano político. Defende claramente a ideia de "democracia racial", rechaçando no plano biológico fatos e acontecimentos indubitavelmente de ordem sociológica.

Se Viana reconhece que o Brasil é constituído de diversidade antropológica, por que a sua preocupação com a busca de um tipo nacional representativo? Torna-se claro, através de suas "elucubrações", que o mestiço por ele tão negativamente pintado representa apenas uma fase transitória no caminho da "arianização", da qual nascerá um tipo étnico único, representativo do futuro povo brasileiro. Isso explica por que, depois de insistir sobre a impossibilidade do tipo antropológico único, ele entra em contradição ao afirmar que a diversidade tende a reduzir-se lentamente.

---

[131] VIANA, Francisco José de Oliveira. O typo brasileiro. Seus elementos formadores. In: *Diccionário histórico, geográfico e etnológico do Brasil* – V. I, Rio de Janeiro, Imprensa Nacional, 1922, p. 277-290.

> Essa diversidade somatológica do nosso povo, tão pronunciada no passado e no presente, tende, entretanto, a reduzir-se lentamente, sob a ação de vários fatores seletivos: tudo parece indicar que o futuro tipo antropológico brasileiro será o ariano modelado pelos trópicos, isto é, o ariano vestido com aquilo que alguém chamou a "libré" do clima.[132]

O brasileiro futuro não deixará de ser um homem moreno, por maior que seja o grau de arianização da população. Viana explica a resistência do melanismo, que caracterizará esse futuro brasileiro, não somente pela influência da raça negra no processo de miscigenação, mas também pela presença desse elemento no imigrante europeu não germânico e pela atuação do clima tropical que, por sua vez, contribui para intensificar cada vez mais esse melanismo fundamental.[133]

Para sustentar sua crença na futura arianização do Brasil, Viana vai recorrer constantemente às estatísticas dos recenseamentos da população devidamente selecionadas. Da interpretação tendenciosa dessas estatísticas, ele chega à conclusão de que, em 20 anos (de 1872 a 1890), a população branca havia duplicado seu número, passando de 3.818.403 a 6.302.198, enquanto os mestiços tiveram um crescimento relativamente pequeno, variando entre 3.833.015 e 4.638.495, e que o negro, oscilando entre 1.970.509 e 2.097.427, quase não se desenvolveu.[134] Como explicação dessa superioridade demográfica do contingente branco, que no século XVII representava quase a metade da população negra, Viana evoca a alta fecundidade da raça branca no meio tropical, estimada, segundo seu cálculo, em 1,27% em relação ao índice inferior, 1%, apresentado pelos negros, índios e mestiços.

> Esses dados nos deixam perfeitamente tranquilos sobre o futuro da nossa evolução étnica e nos permitem ouvir, sem espanto, mesmo até, ao contrário, com um certo bom humor, aquela previsão sombria de Lapouge: "*Le Brésil constituera sans doute d'ici un siècle un imense état nègre, à moins qu'il ne retourne, et c'est probable, à la barbarie...*".[135]

---

[132] VIANA, Francisco José de Oliveira. *Ibidem, op. cit.*, p. 281.

[133] VIANA, Francisco José de Oliveira. *Ibidem*.

[134] VIANA, Francisco José de Oliveira. *Ibidem*.

[135] VIANA, Francisco José de Oliveira. *Op. cit.*, p. 283.

Viana não explica sociologicamente porque a população negra, índia e mestiça decresce. Sua leitura das estatísticas demográficas é ideológica e politicamente orientada, pois está mais preocupado em ver o futuro Brasil branco do que em explicar sociologicamente os fatos. As condições de vida dos escravizados e de seus descendentes, o fim do tráfico negreiro e a imigração europeia em massa são curiosamente transformados por ele em superioridade natural da fecundidade da raça branca e em sua maior capacidade de sobrevivência na luta pela vida. O darwinismo social domina seu pensamento.

Criticando o pessimismo de Lapouge e de Le Bon, que previam uma involução africanizante da população brasileira, Viana vê os mecanismos corretivos do futuro na ação insuperável das seleções étnicas com a entrada anual de 100 mil imigrantes do melhor sangue ariano, além da alta fecundidade da população branca nativa. Essas seleções étnicas iriam aumentar cada vez mais o coeficiente do sangue ariano na massa mestiça.[136]

Recorrendo sempre aos dados demográficos para apoiar sua tese, Viana lança mão do quadro referente ao número de casamentos em 1918 e 1920 para demonstrar o rápido caldeamento dos novos colonos com a primitiva população local.[137]

Nacionalidade	1918	1920
alemão + alemã	22	29
alemão + brasileira	63	91
italiano + italiana	38	60
italiano + brasileira	138	167
espanhol + espanhola	4	7
espanhol + brasileira	38	59
português + portuguesa	9	12
português + brasileira	108	97

---

[136] VIANA, Francisco José de Oliveira. *Ibidem.*

[137] Fonte: Arthur Candal. *Relatório da Repartição Estatística do Rio Grande do Sul, 1919-1921*, apud VIANA, F. J. de Oliveira. *Op. cit.*, p. 283.

De acordo com esses dados estatísticos, o autor conclui que a porcentagem de sangue ariano estava aumentando rapidamente sobre o tipo antropológico dos mestiços, no sentido de modelá-la pelo tipo de homem branco.[138] Quanto maior, diz o autor, for a dose de sangue ariano nos mestiços, mais rápido estes tenderão a revestir-se dos atributos somáticos do homem branco. Os dados da tabela abaixo reforçam sua crença na progressiva organização do povo brasileiro. Com efeito, em menos de 20 anos, houve um rápido decréscimo da população negra que, em 1872, constituía 19,7% da população total e passou, em 1890, a representar apenas 14,6%, e a redução sensível da população mestiça, que passou, durante o mesmo tempo, de 38,3% a 32,4% contra um crescimento da população branca, de 38,1% a 44%.[139]

Anos	Brancos %	Negros %	Índios %	Mestiços %
1872	38,1	19,7	3,9	38,3
1890	44,0	14,6	9,0	32,4

Constata-se que o caçador de estatísticas demográficas explica o crescimento da população branca recorrendo apenas à injeção do sangue "ariano" e deixando de considerar, além do intenso fluxo migratório europeu na época, o fim do tráfico negreiro desde 1850, a alta mortalidade da população negra, devido às adversas condições de vida e a eliminação do índio pelas doenças europeias, álcool e arma de fogo. A nosso ver, o decréscimo do número de negros e índios pelos motivos lembrados e o aumento de brancos pelas correntes migratórias provocaram a diminuição do coeficiente do mestiço, nessa época, por causa do desequilíbrio demográfico entre parceiros sexuais nas três raças e, consequentemente, o aumento de mulheres entre os brancos, contrário à situação antes das grandes imigrações europeias.

No espírito de Viana, o Brasil todo é um *"melting-pot"*, embora o caldeamento no Sul do País fosse feito apenas entre os tipos raciais do grupo caucásico, diferentemente do Norte e Centro, onde as três raças

---

[138] VIANA, Francisco José de Oliveira. *Ibidem*.
[139] VIANA, Francisco José de Oliveira. *Op. cit.*, p. 284.

se misturaram.¹⁴⁰ Depois da 3ª ou 4ª geração, o branco puro não existiria mais, ou seja, o Brasil se tornaria depois deste tempo um país de mestiços genotipicamente.

> Realmente, somos uma nacionalidade, para cuja formação o índio e o negro entraram em contribuição copiosíssima, em que a comistão destas raças com o ariano se operou e se opera intensamente; em que o branco luta sem êxito para manter a sua pureza étnica; em que depois da 3ª ou 4ª geração já se vai tornando difícil encontrar descendente de imigrante ariano que não esteja "iscado" de sangue negro ou indígena.¹⁴¹

Apesar de o Brasil ser genotipicamente mestiço, Viana confirma que o preconceito da mestiçagem é ainda forte, devido, no meu entender, à ideologia racial da superioridade branca que ele mesmo ajudou a construir.

> Pois bem: neste povo assim mesclado, é ainda grande o preconceito da mestiçagem. Os mestiços arianos, já favorecidos por dosagens altas de sangue caucásico, evitam passar por tais – e inscrevem-se bravamente na classe dos brancos, dissimulando-se na roupagem eufemista dos "morenos". Na classe dos mestiços só ficam realmente os pardos e os caboclos característicos; ainda assim quando fazem parte de plebe repululante dos jecas inumeráveis que puxam a enxada ou fazem trabalhos servis; porque, se acontece serem "coronéis" ou "doutores" – o que não é raro – para estes não há como cogitar de "mulatismo" e "caboclismo": eles não são senão "morenos".¹⁴²

O que importa para as conclusões sociológicas, disse Viana, não é tanto determinar o tipo puro (genótipo), mas sim o tipo aparente (fenótipo). Com efeito, têm-se duas espécies de brancos: o branco puro (genótipo) e o branco aparente (fenótipo), isto é, o mestiço brancoide, de aspecto ariano (fenótipo). O mesmo se dirá do negro e do índio, distinguindo o negro puro do mulato negroide e o índio puro do mameluco indioide. Em antropologia física, estes dois tipos – puro e aparente – são biologicamente

---

[140] VIANA, Francisco José de Oliveira. *Raça e assimilação*. Rio de Janeiro, Companhia Editora Nacional, 1938, 3. ed. aumentada, p. 98-99.

[141] VIANA, Francisco José de Oliveira. *Op. cit.*, p. 230.

[142] VIANA, Francisco José de Oliveira. *Op. cit.*, p. 231.

distintos, mas, em antropologia social, eles se equivalem. De outro modo, branco ou mulato brancoide, branco ou mameluco brancoide, negro ou mulato negroide, índio ou mameluco indioide são socialmente análogos. Isto é, o comportamento deles perante a sociedade é, em geral, idêntico, como idêntico é o comportamento da sociedade para com eles.[143]

O conceito de racismo de "marca", mais tarde elaborado por Oracy Nogueira para distinguir o Brasil dos Estados Unidos, já estava em filigrana presente no pensamento de Viana, através dos conceitos de branco "puro" e "aparente", negro "puro" e "aparente", sobretudo na ideia de que, socialmente, o branco puro e o branco aparente são igualmente tratados no Brasil.

Os mamelucos superiores tiveram uma ascensão mais fácil e segura na sociedade colonial do que os mulatos superiores. Viana explica essa diferença pela dupla superioridade dos mamelucos: não descendem de raça escrava e aproximam-se mais do tipo somático do homem branco não só pela pigmentação, mas também pelos cabelos nitidamente negros e corredios. Ora, vulgarmente, os cabelos lisos e a tez clara constituem sinais indicativos da raça pura.[144] Temos aqui uma aproximação sem equívoco entre Viana e Euclides da Cunha, que também considerou os mamelucos superiores aos mulatos pelos mesmos motivos. Ambos fizeram do servilismo um traço genético hereditário e fingiram ignorar que os índios também foram escravizados durante a escravidão negra. Mas não é por causa da cor e do cabelo que falta eugenismo aos mulatos; ao contrário, a porcentagem dos mulatos eugênicos foi até superior à dos mamelucos. Porém, segundo Viana, nos mamelucos havia talvez mais solidez de estrutura moral e equilíbrio de caráter do que entre os mulatos, nos quais havia mais brilho de inteligência e de vivacidade mental. Por isso, os mulatos destacam-se nas profissões que exigem mais as qualidades de inteligência do que as de caráter.[145]

Os elementos bárbaros do povo brasileiro estavam sendo rapidamente reduzidos pela situação estacionária da população negra, aumento contínuo dos afluxos arianos e seleções favoráveis que asseguram ao

---

[143] VIANA, Francisco José de Oliveira. *Op. cit.*, p. 233.

[144] VIANA, Francisco José de Oliveira. *Evolução do povo brasileiro*. 4. ed., Rio de Janeiro, Livraria Olympio Editora, 1956, p. 160.

[145] VIANA, Francisco José de Oliveira. *Op. cit.*, p. 162.

homem branco condições de vitalidade e fecundidade superiores aos homens das outras raças. Esse movimento de arianização, porém, não se limitou apenas ao aumento numérico da população branca pura, pois as seleções étnicas estavam operando, no seio da massa mestiça ao Sul e ao Norte, a redução do coeficiente dos sangues inferiores. De outro modo, entre os mestiços, a qualidade do sangue branco crescia cada vez mais, no sentido de um refinamento mais apurado da raça.[146]

O que se acabou de dizer fixa de uma vez por todas o sentido no qual Viana emprega o conceito de arianização: de um lado, o aumento numérico da população branca "pura" pelo movimento imigratório europeu, e de outro, o refinamento cada vez mais apurado da população brasileira pelo processo de mestiçagem, que iria reduzir o coeficiente dos sangues negro e índio. Essa colocação deixa mais nítida e precisa a ideia do branqueamento da população brasileira. O raciocínio do autor leva a crer que o processo de arianização ia, a longo prazo, terminar aparentemente no embranquecimento da população e, consequentemente, numa situação em que não existisse mais a linha de cor, pelo menos para os brancos aparentes que genotipicamente são mestiços.

Fazendo alusão à situação do negro e às relações raciais nos Estados Unidos, Viana assegura:

> Não há perigo de que o problema negro venha a surgir no Brasil. Antes que pudesse surgir seria logo resolvido pelo amor. A miscigenação roubou o elemento negro de sua importância numérica, diluindo-o na população branca. Aqui o mulato, a começar da segunda geração, quer ser branco, e o homem branco (com rara exceção) acolhe-o, estima-o e aceita-o no seu meio. Como nos asseguram os etnólogos, e como pode ser confirmado à primeira vista, a mistura de raças é facilitada pela prevalência do "elemento superior". Por isso mesmo, mais cedo ou mais tarde, ela vai eliminar a raça negra daqui. É "óbvio que isso já começou a ocorrer. Quando a imigração, que julgo ser a primeira necessidade do Brasil, aumentar, irá, pela inevitável mistura, acelerar o processo de seleção".[147]

Essa citação, que fala por si, dispensaria numerosos comentários sobre o papel da mestiçagem na des-construção da identidade negra.

---

[146] VIANA, Francisco José de Oliveira. *Op. cit.*, p. 183.

[147] VIANA, Francisco José de Oliveira. *Apud* SKIDMORE, Thomas E. *Op. cit.*, p. 90.

A elite "pensante" do País tinha clara consciência de que o processo de miscigenação, ao anular a superioridade numérica do negro e ao alienar seus descendentes mestiços graças à ideologia de branqueamento, ia evitar os prováveis conflitos raciais conhecidos em outros países, de um lado, e, por outro, garantir o comando do País ao segmento branco, evitando a sua "haitinização".

Em 1930, opera-se no Brasil uma evolução que buscava novos caminhos na orientação política do País, tendo como preocupação principal o desenvolvimento social. Uma tal orientação não podia mais se adequar às teorias raciológicas do fim do século XIX, tornadas obsoletas.[148]

Foi então que o sociólogo Gilberto Freyre fez seu aparecimento no cenário para atender a essa nova demanda. Ele retoma a temática racial até então considerada não apenas como chave para a compreensão do Brasil, mas também para toda a discussão em torno da questão da identidade nacional. Porém, ele desloca o eixo da discussão, operando a passagem do conceito de "raça" ao conceito de cultura. Como escreve Renato Ortiz, essa passagem permite um maior distanciamento entre o biológico e o cultural, bem como elimina uma série de dificuldades colocadas anteriormente a respeito da herança atávica do mestiço.[149]

No clássico Casa grande e senzala, Gilberto Freyre narra uma história social do mundo agrário e escravista do nordeste brasileiro nos séculos XVI e XVII. No quadro de uma economia latifundiária baseada na monocultura da cana-de-açúcar, nota-se um desequilíbrio entre sexos caracterizado pela escassez de mulheres brancas. Daí a necessidade de aproximação sexual entre escravas negras e índias com os senhores brancos; aproximação que, apesar da assimetria e da relação de poder entre senhores e escravos, não impediu a criação de uma zona de confraternização entre ambos. Essa aproximação foi possível, segundo Freyre, graças à flexibilidade natural do português. Assim, explica-se a origem histórica da miscigenação que veio diminuir a distância entre a casa grande e a senzala, contrariando a aristocratização resultante da monocultura latifundiária e escravocrata.

---

[148] ORTIZ, Renato. *Cultura brasileira e identidade nacional*. 4. ed., São Paulo, Brasiliense, 1994, p. 40-41.

[149] ORTIZ, Renato. *Op. cit., ibidem*.

Do ponto de vista de Gilberto Freyre, a família patriarcal do nordeste do Brasil era o grande fator da colonização e o princípio único da autoridade, obediência e coesão. Vista por este ângulo, essa família podia integrar harmoniosamente a sociedade brasileira, pondo, assim, fim à persistente angústia da heterogeneidade racial, e ainda oferecer o alívio da democracia racial.[150]

A grande contribuição de Freyre é ter mostrado que negros, índios e mestiços tiveram contribuições positivas na cultura brasileira: influenciaram profundamente o estilo de vida da classe senhorial em matéria de comida, indumentária e sexo. A mestiçagem, que no pensamento de Nina e de outros causava dano irreparável ao Brasil, era vista por ele como uma vantagem imensa. Em outras palavras, ao transformar a mestiçagem num valor positivo e não negativo sob o aspecto de degenerescência, o autor de Casa grande e senzala permitiu completar definitivamente os contornos de uma identidade que há muito vinha sendo desenhada. Freyre consolida o mito originário da sociedade brasileira configurada num triângulo cujos vértices são as raças negra, branca e índia. Foi assim que surgiram as misturas. As três raças trouxeram também suas heranças culturais paralelamente aos cruzamentos raciais, o que deu origem a uma outra mestiçagem no campo cultural. Da ideia dessa dupla mistura, brotou lentamente o mito de democracia racial; "somos uma democracia porque a mistura gerou um povo sem barreira, sem preconceito".[151]

O mito de democracia racial, baseado na dupla mestiçagem biológica e cultural entre as três raças originárias, tem uma penetração muito profunda na sociedade brasileira: exalta a ideia de convivência harmoniosa entre os indivíduos de todas as camadas sociais e grupos étnicos, permitindo às elites dominantes dissimular as desigualdades e impedindo os membros das comunidades não brancas de terem consciência dos sutis mecanismos de exclusão da qual são vítimas na sociedade. Ou seja, encobre os conflitos raciais, possibilitando a todos se reconhecerem como brasileiros e afastando das comunidades subalternas a tomada de consciência de suas características culturais que teriam contribuído para

---

[150] FREYRE, Gilberto. *Casa grande e senzala*, 8. ed., Rio de Janeiro, Livraria José Olympio Editora, v. I, 1954, p. 22.

[151] ORTIZ, Renato. *Op. cit.*, p. 41.

a construção e expressão de uma identidade própria. Essas características são "expropriadas", "dominadas" e "convertidas" em símbolos nacionais pelas elites dirigentes.[152]

Parafraseando Renato Ortiz, os elementos da mestiçagem contêm justamente os traços que naturalmente definem a identidade brasileira: unidade na diversidade [...] A ideologia do sincretismo exprime um universo isento de contradições, uma vez que a síntese oriunda do contato cultural transcende as divergências reais que porventura possam existir.[153]

Freyre não privilegia na sua análise o contexto histórico das relações assimétricas do poder entre senhores e escravos, do qual surgiram os primeiros mestiços. Sua análise, como escreve Thomas Skidmore, servia, principalmente, para reforçar o ideal de branqueamento, mostrando de maneira vívida que a elite (primitivamente branca) adquirira preciosos traços culturais do íntimo contato com o africano (e com o índio, em menor escala).[154] Ao mesmo tempo que defendia a cultura negra como elemento básico da formação nacional brasileira, ele preconizava um universalismo ambíguo, temperado pelo conceito de meia-raça.[155] Ao valorizar a dissolução das diferenças, em síntese, Freyre postulava novas expressões e formas cuja principal resultante iria melhor caracterizar o pertencimento ao mundo ocidental. Mas sem acesso ao poder e aos órgãos de informação e a despeito das diferentes formas de resistência, a população negra não tinha outra alternativa senão dobrar-se às exigências da mistura que supunha o abandono das tradições e pertencimento de origem para poder progredir.[156]

---

[152] GNACCARINI, J. César A.; QUEIROZ, Renato da Silva. Problèmes ethniques d'un pays multiracial. In: *Passarelles* (5), p. 55.

[153] ORTIZ, Renato. *Op. cit.*, p. 93-95.

[154] SKIDMORE, Thomas E. *Op. cit.*, p. 208.

[155] FREYRE, Gilberto. L'expérience afro-brésilienne. In: *Courrier de L'UNESCO*. Paris, 1977, août-septembre, *apud* Jacques d'Adesky. Pluralismo étnico e multiculturalismo – realismo e anti-racismo no Brasil. Tese de doutorado, FFLCH/USP, 1996, p. 70-71.

[156] D'ADESKY, Jaques. *Op. cit.*, p. 71.

Ambiguidade de raça/classe e a mestiçagem como mecanismos de aniquilação da identidade negra e afro-brasileira

No seu livro *Nem preto nem branco*, Carl Degler diz que as relações sexuais não produzem necessariamente um abrandamento da atitude de animosidade racial, mas podem fazê-lo, principalmente, quando homens brancos se "casam" com mulheres negras, como ocorreu no Brasil, ou quando estabelecem laços menos formais, mas não menos afetivos. Em tais circunstâncias, os homens brancos passam a ver os negros como menos diferentes e estranhos, uma percepção, aliás, que não é apenas dos homens que casam ou se amancebam com as mulheres negras. Outros brancos não podem deixar de se influenciar, de modo positivo, vendo e tendo conhecimento de que mulheres negras são esposas ou amantes de homens brancos. Assim, a ampla mestiçagem contribui muito na evolução das atitudes raciais no Brasil.[157]

Entretanto, no cômputo geral, parece que os filhos é que exerceram influência principal. Não era desconhecido, tanto no Brasil como nos Estados Unidos, o descuido dos homens brancos com o fruto de seus encontros sexuais com mulheres escravas. Luís Gama, o abolicionista brasileiro, foi vendido como escravo por seu pai branco; sem dúvida, muitos outros exemplos semelhantes podem ser encontrados na história da escravidão dos Estados Unidos. O fato de haver mais mulatos livres que pretos significa que os senhores brancos se preocuparam suficientemente com seus filhos para libertá-los. No Mississipi, em 1860,

---

[157] DEGLER, Carl. *Nem preto nem branco*. Rio de Janeiro, Editora Labor do Brasil S/A, 1976, 240p.

por exemplo, 77% dos negros livres eram mestiços, enquanto apenas 8% dos escravos eram mulatos. Quadro semelhante é delineado em Louisiana, à mesma época. Aparentemente, ocorria a mesma proporção elevada de mulatos entre os negros livres no Brasil. Por exemplo, em Itapetininga, no Estado de São Paulo, apenas 4% dos mulatos eram escravos contra 95% de pretos, em 1799. Os cálculos feitos por Herbert Klein, a partir de diversos censos locais em cinco províncias brasileiras no século XIX, mostraram que os mulatos totalizavam mais de 76% dos homens livres e menos de 20% dos escravos em quatro províncias e apenas 26% na quinta. Em 1872, os mulatos constituíam 32% dos escravos e 78% dos homens livres em todo o Brasil.[158]

Em nenhuma das duas sociedades (Brasil e Estados Unidos), portanto, era fora do comum ou pouco natural que o homem branco demonstrasse alguma preocupação com o filho de cor. A diferença é que no Brasil, em função da mestiçagem mais ampla, essa preocupação tinha um campo maior no qual se expressar. O casamento, e ainda mais o concubinato do proprietário de terras e mulheres negras e mulatas, dizia um relatório de Minas Gerais em 1805, tornou livre um terço da população, sem fornecer meios para sua manutenção, sem ensinar-lhe bons hábitos, e eles têm a ideia louca de que pessoas livres não precisam trabalhar.[159] Poucos homens brancos, pais de mulatos nos Estados Unidos, reconheciam os filhos tão abertamente como no Brasil.[160]

Os mestiços libertos eram, na sua maioria, filhos dos senhores, donos de terras e de fazendas no âmbito da família patriarcal do Nordeste brasileiro descrita por Gilberto Freyre. Isso supõe, no nosso entender, que os pais tinham uma posição de poder e de influência na sociedade para interferir em benefício dos filhos, embora esses tivessem um *status* inferior em relação aos filhos brancos. Mas o fato de os mulatos se beneficiarem de um tratamento diferenciado por serem filhos dos senhores brancos e de numerosos deles entrarem na categoria de libertos deve

---

[158] NOGUEIRA, Oracy. Relações raciais no município de Itapetininga. *In*: BASTIDE, Roger. *Relações raciais*, p. 390, *apud* Degler. *Op. cit.*, p. 241.

[159] FREYRE, Gilberto. *Casa grande e senzala*. *Op. cit.*, p. 710.

[160] DEGLER, Carl. *Op. cit.*, p. 241.

também ter contribuído para o enfraquecimento do sentimento de solidariedade entre eles e os negros.

A partir dessas observações, Carl Degler concluiu que a diferença das relações raciais entre o Brasil e os Estados Unidos está no papel atribuído ao mulato. O fato de aceitar o branqueamento, o que é uma maneira de dizer que o mulato tem lugar especial na sociedade, tem como consequência a redução do descontentamento entre as raças. Assim, no Brasil, o negro pode esperar que seus filhos sejam capazes de furar as barreiras que o mantiveram para trás, caso eles se casem com gente mais clara. Tal possibilidade atua como uma válvula de segurança sobre o descontentamento e frustração entre os negros e mulatos, razão pela qual, disse Degler, os negros no Brasil não foram levados a formar organizações de protestos, como nos Estados Unidos.

Nos Estados Unidos, a ideologia racial foi conduzida de maneira a não conceder nenhum lugar a uma pessoa intermediária no esquema biológico. Ou bem uma pessoa era negra ou branca. Uma vez operada essa polarização, deu-se início a uma defesa racional da escravidão, com base na inferioridade racial do negro, livre ou escravo. Diz Degler que no Brasil não houve compulsão ideológica para uma divisão entre escravidão e liberdade. À ideologia política brasileira faltou ênfase sobre o individual e a definição de liberdade absoluta. Em tal esquema havia lugar para o branco, o preto e o pardo, para o livre, o meio livre e o escravo.[161]

> Havendo lugar para o mulato, não parece haver necessidade de ajuda para os negros como grupo. A história e a profunda virulência do racismo norte-americano soldaram os negros em uma força racial efetiva, enquanto que a ambiguidade da linha cor/classe no Brasil deixou os negros sem coesão ou líderes.[162]

Dada a definição do negro, a miscigenação não podia oferecer solução nos Estados Unidos, pois os casamentos inter-raciais só aumentariam o seu número.[163]

---

[161] OLIVEIRA, Eduardo de Oliveira e. O mulato, um obstáculo epistemológico. In: *ARGUMENTO*. Rio de Janeiro, 1974, p. 65-73.
[162] OLIVEIRA, Eduardo de Oliveira e. *Op. cit.*, p. 68.
[163] OLIVEIRA, Eduardo de Oliveira e. *Op. cit., idem.*

Por sua vez, Marvin Harris pensa que a formação do grupo de mestiços livres no Brasil se deve ao fato de que os senhores de escravos não tinham outra alternativa para executar funções econômicas e militares, senão criar uma classe livre de mestiços.

> Os senhores de escravos foram obrigados a criar grupos intermediários livres de mestiços para ficarem entre eles e os escravos, pois havia certas funções econômicas essenciais para as quais não havia brancos disponíveis.[164]

Nos Estados Unidos, a regra de hipodescendência, mediante a qual os mestiços são classificados como negros, teria se originado porque a entrada de africanos e a emergência de um grupo de mulatos só ocorreram após o estabelecimento de uma numerosa classe intermediária de brancos, não deixando, assim, lugar para um grupo de pessoas de cor livres.[165]

A explicação de Marvin Harris para o nascimento de uma classe intermediária de mestiços livres no Brasil é de ordem demográfica, porque não havia brancos o suficiente para ocupar essa posição, da mesma maneira que o desequilíbrio demográfico entre sexos no seio do grupo escravista explica historicamente a intensidade da miscigenação no Brasil. Mas, essa explicação não parece suficiente, pois, no Brasil como nos Estados Unidos, os mestiços constituíram o contingente mais numeroso de homens livres comparativamente aos negros. Ora, essa classe intermediária de mestiços não era necessária nos Estados Unidos para executar funções econômicas e militares. Talvez seja plausível conjugar o fator econômico com o afetivo, que fez com que o pai branco, nos dois países, conforme Carl Degler, apesar de certos descuidos, se preocupasse, em alguns momentos, com seus filhos mestiços, procurando, inclusive, torná-los livres do sistema servil. O elemento central para distinguir o modelo americano das relações raciais do modelo brasileiro está, segundo Degler, na origem do mulato como um tipo socialmente aceito no Brasil.

---

[164] HARRIS, Marvin. *Padrões raciais nas Américas*. Rio de Janeiro, Civilização Brasileira, 1967, p. 117.

[165] SILVA, Nelson do Valle e HASENBALG, Carlos. *Relações raciais no Brasil*. Rio de Janeiro, Rio Fundo Editora, 1992, p. 68.

Numa linha de pensamento quase convergente, Oracy Nogueira opera uma grande distinção entre os Estados Unidos e o Brasil, baseada na existência, no primeiro caso, de uma linha de cor que separa brancos e não brancos e, no segundo caso, de uma zona intermediária, fluida, vaga, que flutua até certo ponto ao sabor do observador ou das circunstâncias. No último caso, os mestiços com traços negroides disfarçáveis, principalmente quando portadores de atributos que implicam *status* médio ou elevado (diploma de curso superior, riqueza e outros), podem ser incorporados no grupo branco.[166]

Um negro bem-sucedido que casa com uma branca terá descendentes, após três ou quatro gerações, integrados no grupo branco. Os sucessivos cruzamentos conjugados com o *status* socioeconômico levam progressivamente ao branqueamento. Nos Estados Unidos, tanto a mestiçagem como o *status* socioeconômico não participam do processo do branqueamento e da aniquilação da linha de cor. No Brasil, a percepção da cor e de outros traços negroides é "gestáltica", dependendo, em grande parte, da tomada de consciência dos mesmos pelo observador, do contexto de elementos não raciais (sociais, culturais, psicológicos, econômicos) e que estejam associados – maneiras, educação sistemática, formação profissional, estilo e padrão de vida –, tudo isso obviamente ligado à posição de classe, ao poder econômico e à socialização daí decorrente.[167]

A maior parte das populações afro-brasileiras vive hoje nessa zona vaga e flutuante. O sonho de realizar um dia o "passing" que neles habita enfraquece o sentimento de solidariedade com os negros indisfarçáveis. Estes, por sua vez, interiorizaram os preconceitos negativos contra eles forjados e projetam sua salvação na assimilação dos valores culturais do mundo branco dominante. Daí a alienação que dificulta a formação do sentimento de solidariedade necessário em qualquer processo de identificação e de identidade coletivas. Tanto os mulatos quanto os chamados negros "puros" caíram na armadilha de um branqueamento ao qual não terão todos acesso, abrindo mão da formação de sua identidade de "excluídos".

---

[166] NOGUEIRA, Oracy. *Tanto preto quanto branco: Estudos de relações raciais*. São Paulo, T.A. Queiroz Editora, 1985, p. 6.
[167] NOGUEIRA, Oracy. *Op. cit.*, p. 8.

Marvin Harris pensa que essa classificação racial brasileira baseada na cor ou na marca é ambígua, na medida em que expressa pouco a importância da identidade racial em contraste com a importância assumida pela classe. Daí a ideia comum entre os estudiosos norte-americanos de que o brasileiro pode mudar de raça, ou melhor, de identificação racial, no decorrer de sua vida. Essa interpretação se aproxima dos ditados populares "o dinheiro branqueia" e "o preto rico é branco" ou "branco pobre é preto". Por isso, Oracy Nogueira pede cuidado na interpretação desses ditos, que são sempre empregados com certa ironia e cujo sentido mais exato seria: "o dinheiro compra tudo, até o *status* para o negro", o que, segundo ele, está longe de ser uma negação do preconceito ou da discriminação.[168]

---

[168] NOGUEIRA, Oracy. *Op. cit.*, p. 21-22.

Mestiçagem contra pluralismo

A mestiçagem, como articulada no pensamento brasileiro entre o fim do século XIX e meados do século XX, seja na sua forma biológica (miscigenação), seja na sua forma cultural (sincretismo cultural), desembocaria numa sociedade uniracial e unicultural. Uma tal sociedade seria construída segundo o modelo hegemônico racial e cultural branco ao qual deveriam ser assimiladas todas as outras raças e suas respectivas produções culturais. O que subentende o genocídio e o etnocídio de todas as diferenças para criar uma nova raça e uma nova civilização, ou melhor, uma verdadeira raça e uma verdadeira civilização brasileiras, resultantes da mescla e da síntese das contribuições dos stocks raciais originais. Em nenhum momento se discutiu a possibilidade de consolidação de uma sociedade plural em termos de futuro, já que o Brasil nasceu historicamente plural.

Na década de 1970, surgem vozes discordantes, oriundas principalmente do mundo afro-brasileiro, propondo a construção de uma democracia verdadeiramente plurirracial e pluriétnica. O então militante e intelectual negro, Abdias do Nascimento, se fez porta-voz desse mundo afro-brasileiro. Prefaciando o livro *O genocídio do negro brasileiro*, de autoria desse combatente negro, o professor Florestan Fernandes reconhece que foi a primeira vez que surgiu a ideia de que o Brasil deveria ser consolidado como uma sociedade plurirracial. Ou a sociedade brasileira é democrática para todas as raças e lhes confere igualdade econômica, social e cultural, ou não existe uma sociedade plurirracial democrática. Os segmentos negros e mulatos da população são considerados neste livro como estoques africanos com tradições culturais e um destino histórico peculiares.[169]

---

[169] NASCIMENTO, Abdias do. *O genocídio do negro brasileiro*. Rio de Janeiro, Paz e Terra, 1978, p. 20.

Remontando às origens do mulato brasileiro, Abdias diz que o Brasil escravocrata herdou de Portugal a sua estrutura patriarcal de família, cujo preço foi pago pela mulher negra. O desequilíbrio demográfico entre os sexos durante a escravidão, na proporção de uma mulher para cinco homens, conjugado com a relação assimétrica entre escravos e senhores, levou os últimos a um monopólio sexual das poucas mulheres existentes. Nesse contexto, as escravas negras, vítimas fáceis, vulneráveis a qualquer agressão sexual do senhor branco, foram, em sua maioria, transformadas em prostitutas como meios de renda e impedidas de estabelecer qualquer estrutura familiar estável. Abdias considera absurdo apresentar o mulato que, na sua origem, é o fruto desse covarde cruzamento de sangue, como prova de abertura e saúde das relações raciais no Brasil. Ele evoca o ditado popular "branca pra casar, negra pra trabalhar, mulata pra fornicar", para apoiar a ideia geral de que a mulher negra foi prostituída.

> Já que a existência da mulata significa o produto do prévio estupro da mulher africana, a implicação está em que, após a brutal violação, a mulata tornou-se só objeto de fornicação, enquanto a mulher negra continuou relegada à sua função original, ou seja, o trabalho compulsório. Exploração econômica e lucro definem, ainda outra vez, seu papel social.[170]

A representação da mulata "sensual e erótica" no imaginário coletivo ou popular brasileiro, aludida por Abdias do Nascimento, encontra eco na maioria das obras eruditas da literatura brasileira. Analisando essas obras no livro *Preconceito de cor e a mulata na literatura brasileira*,[171] Teófilo de Queiroz Jr. observa que todas descrevem figuras de mestiças que, embora variando ligeiramente de uma para outra, compõem em conjunto uma convenção literária sensivelmente homogênea. Ele sugere a busca das raízes da visão tão comum da mulata brasileira na tradição literária popular que, segundo ele, é congruente com a tradição erudita. Por outro lado, os estereótipos da mulata na literatura erudita foram elaborados a partir dos recursos disponíveis no imaginário e na representação coletiva muito bem ilustrados pelas músicas carnavalescas.[172]

---

[170] NASCIMENTO, Abdias do. *Op. cit.*, p. 62.

[171] QUEIRÓZ, Jr. Teófilo de. *Preconceito de cor e a mulata na literatura brasileira*. São Paulo, Editora Ática, 1975.

[172] QUEIRÓZ, Jr. Teófilo de. *Op. cit.*, p. 79.

Para sintetizar os dois polos da avaliação corrente sobre a mulata, podemos dizer que, de positivo, são reconhecidas suas habilidades culinárias, via de regra, sua higiene, sua resistência física ao trabalho, sua sensualidade irresistível, seus artifícios de sedução, a que sabe recorrer, quando canta, dança e se enfeita. Já a soma de seus defeitos é constituída por sua falta de moralidade, por sua irresponsabilidade, por ela ser muito pródiga sempre.[173]

Abdias lança mão de dados estatísticos resultantes de pesquisa realizada por Octavio Ianni para reforçar a ideia de que, originalmente, o mulato foi produto de estupro da mulher africana pelo português e não o resultado de um casamento tradicionalmente consagrado. Com efeito, o professor Octavio Ianni, interessado em mensurar as relações matrimoniais entre brancos e negros, brancos e mestiços ao nível da opinião pública, formulou a seguinte pergunta: "Você aprovaria o casamento do seu amigo, irmão, irmã ou de você mesmo com um negro ou mulato?"[174]

A pesquisa deu os seguintes resultados, em porcentagem:

	Negro(a)	Mulato(a)
Não gostariam que o amigo(a) casasse com	35	29
Não gostariam que o irmão casasse com	74	70
Não gostariam que a irmã casasse com	76	72
Não gostariam de casar-se com	89	87

A conclusão a tirar dos resultados dessa pesquisa é a de que a rejeição ao negro e ao mestiço cresce à medida que as manifestações do casamento se aproximam do mundo social do próprio entrevistado.

> O branco elimina os negros e os mulatos do seu círculo de convivência íntimo: a família. É assim que ele consegue dissimular as barreiras rígidas impostas àqueles.[175]

A alegação segundo a qual não houve cruzamento entre as chamadas raças superiores e as inferiores nos Estados Unidos é uma ignorância, ou

---

[173] QUEIRÓZ, Jr. Teófilo de. *Op. cit.*, p. 76-77.

[174] IANNI, Octavio. *Raças e classes sociais no Brasil*. 2. ed., Rio de Janeiro, Civilização Brasileira, 1972, p. 124.

[175] NASCIMENTO, Abdias do. *Opus. cit.*, p. 63.

melhor, uma malícia dos defensores da miscigenação brasileira. De uma maneira ou de outra, ela serve como peça ideológica na defesa do mito de democracia racial simbolizada pela saudável interação sexual. Ora, de acordo com Thomas Skidmore, nenhuma sociedade escravista permaneceu à margem do processo de miscigenação e todas produziram relativamente uma vasta população mestiça. Por exemplo, em 1850, a população negra dos Estados Unidos inclui 11% de mulatos e, por volta de 1910, havia 21%.[176]

Para Abdias, o branqueamento da raça negra é uma estratégia de genocídio. Esse branqueamento começou pelo estupro da mulher negra e originou os produtos de sangue misto: o mulato, o pardo, o moreno, o pardavasco, o homem de cor...

> situado no meio do caminho entre a casa grande e a senzala, o mulato prestou serviços importantes à classe dominante; durante a escravidão ele foi capitão do mato, feitor e usado noutras tarefas de confiança dos senhores e, mais recentemente, o erigiram como um símbolo de nossa democracia racial.[177]

Os defensores do branqueamento progressivo da população brasileira viam na mestiçagem o primeiro degrau nessa escala. Concentraram nela as esperanças de conjurar a "ameaça racial" representada pelos negros. Viram-na como marco que assinala o início da liquidação da raça negra no Brasil. Embora considerado como ponte étnica entre negro e branco, a qual conduziria à salvação da raça branca, o mulato não goza de um *status* social diferente do negro.[178] Se durante a escravidão os mulatos puderam receber alguns tratamentos privilegiados em relação aos negros, por terem sido filhos dos senhores de engenho, hoje eles são, na sua grande maioria, filhos e filhas de pais e mães da classe pobre e, portanto, constituem-se na maior vítima da discriminação racial, devido à ambiguidade cor/classe, além de serem mais numerosos que os "negros".

Thales de Azevedo, quase na direção das conclusões tiradas da pesquisa de Octavio Ianni, acima referida, confirma que a mistura não aconteceu na forma de respeito mútuo nem na do intercasamento:

---

[176] SKIDMORE, Thomas. *Op. cit.*, p. 87.
[177] NASCIMENTO, Abdias do. *Op. cit.*, p. 69.
[178] NASCIMENTO, Abdias do. *Op. cit.*, p. 69-70.

uniões matrimoniais legítimas entre pessoas do tipo racial acentuadamente diferentes são, em verdade, muito infrequentes. Tanto nos casamentos como na mancebia tende a predominar a união do homem escuro com mulher mais clara, o que concorre para realizar o ideal de 'branquear a raça' *tão vantajoso do ponto de vista social*.[179]

Azevedo prossegue, enfatizando as bases que precederam à mistura:

[...] mestiçagem é antes indício de discriminação porquanto resulta mais de concubinagem e de relações fortuitas do que de casamento, pois neste o preconceito atua com sua maior força.[180]

A política e a ideologia do branqueamento exerceram uma pressão psicológica muito forte sobre os africanos e seus descendentes. Foram, pela coação, forçados a alienar sua identidade, transformando-se, cultural e fisicamente em brancos. A este respeito, Guerreiro Ramos nota:

A aculturação é tão insidiosa que ainda os espíritos mais generosos são por ela atingidos e, assim domesticados pela brancura, quando imaginam o contrário.[181]

Para ilustrar os efeitos da alienação da identidade negra, Abdias chega a citar algumas personalidades, artistas e escritores negros atingidos pela estética da brancura. O escritor Raimundo Souza Dantas, o único negro que exerceu o cargo de embaixador (Gana), se declarou com orgulho um negro culturalmente branco – um homem ocidental.[182] Diógenes Jr., mulato, membro do Conselho Federal de Cultura, há muitos anos diretor do Centro de Pesquisas Sociais Latino-Americano, órgão da UNESCO, sediado no Rio de Janeiro, afirmou sua identidade cultural branca no ensaio incluído no livro especialmente publicado pelo Ministério das Relações Exteriores para o Festival Mundial das Artes Negras, em Dacar: "Nunca se enraizou no brasileiro, filho dessas relações entre dois grupos étnicos, nenhum sentimento

---

[179] AZEVEDO, Thales de. *Democracia racial: ideologia e realidade*. Petrópolis, Vozes, 1975, p. 30.
[180] AZEVEDO, Thales de. *Op. cit.*, p. 52.
[181] RAMOS, Guerreiro. *O negro desde dentro, ensaio em Teatro Experimental do Negro – Testemunhas*, Edições GRD, Rio de Janeiro, 1966, p. 131.
[182] NASCIMENTO, Abdias do. *Op. cit.*, p. 123.

de preconceito de cor, nenhum tipo de segregação".[183] Edson Carneiro reconhece que a chamada civilização tem sido precisamente a destruição das culturas negras e indígenas, mas não deixou de demonstrar um admirável servilismo às classes dominantes:

> A ruptura dos laços com África, mesmo por meios de frequentes processos brutais, parece para mim ser uma válida aquisição do povo brasileiro.[184]

No século passado, os poetas Domingos Caldas Barbosa (1738-1800) e Manuel Inácio da Silva Alvarenga seguiram modelos literários europeus, distanciando-se completamente de suas raízes ancestrais africanas. O mesmo tinha ocorrido com Gregório de Matos (1633-1696), o famoso satírico "boca do inferno", que tão ferozmente ironizou os mulatos possuidores de amantes negras ou mestiças; seu ideal de beleza era a branca. O poeta João da Cruz e Souza (1861-1898) seria o exemplo mais expressivo e dramático da assimilação cultural e de pressão social. A vida cotidiana deste poeta foi sofrida a ponto de marcar profundamente o conteúdo de sua obra literária pela estética da brancura. Evoca Cruz e Souza:

> Ó formas alvas, brancas,
> formas claras,
> de luares, de neves, de neblinas![185]
> [...] então claramente, vejo e sinto, desiludido das coisas, dos homens e do mundo,
> que o que eu supunha, embriagadamente de amor, nas tuas asas,
> ó loira águia germânica! – nada
> mais foi que o sonambulismo de um sonho
> à beira dos rios marginados
> de resinosos alcentros em flor,
> na dolência da lua nebulosa e fria...[186]

---

[183] DIÓGENES, Jr. Le Noir Africains dans la sociéte brésiliénne. In: *La contribution de l'frique dans la Civilisation Brésiliénne*, Ministério das Relações Exteriores, s/d – publicado pelo I Festival de Artes Negras, 1966, p. 19, *apud*.

[184] CARNEIRO, Edson. Em 80 anos de abolição, *Cadernos Brasileiros*, Rio de Janeiro, 1968, p. 58, *apud* NASCIMENTO, Abdias do. *Op. cit.*, p. 124.

[185] BASTIDE, Roger. Estudos, p. 65, *apud* NASCIMENTO, Abdias do. *Op. cit.*, p. 124-125.

[185] BASTIDE, Roger. Estudos, p. 67, *apud* NASCIMENTO, Abdias do. *Op. cit.*, p. 124-125.

Machado de Assis (1857-1913) é outro notável fenômeno de assimilação cultural. Em seus escritos, retratou principalmente o ambiente e pessoas da classe média, branca, onde o negro se infiltrou apenas como elemento decorativo. Machado de Assis, descendente de africano e fundador da Academia Brasileira de Letras, se obrigava a se exprimir num português acadêmico do melhor estilo; o reconhecimento e a ascensão social que perseguiu impuseram a Machado um ônus cujo peso ele talvez não sentiu.[187]

Para ilustrar ainda mais esse processo de branqueamento do mulato, Eduardo de Oliveira e Oliveira cita um comentário de Joaquim Nabuco e José Veríssimo sobre a morte de Machado de Assis:

> Mulato, foi de fato grego da melhor época [...]. Eu não teria chamado o Machado de mulato e penso que nada lhe doeria mais do que essa síntese. Rogo-lhe que tire isso quando reduzir os artigos a páginas permanentes. A palavra não é literária e é pejorativa, basta ver-lhe a etnologia. O Machado para mim era um branco e creio que por tal se tomava; quando houvesse sangue estranho, isso em nada afetava a sua perfeita caracterização caucásica.[188]

A ambiguidade cor/classe encontrada no comentário acima, de Joaquim Nabuco, se colocaria também no seguinte comentário de Gilberto Freyre a respeito de Lima Barreto:

> Pobre e obrigado, pela sua condição econômica, a ser, em grande parte, sociologicamente homem de cor: sem oportunidade de transformar-se em mulato, sociologicamente branco, como na sua época o igualmente negroide evidente – embora bem mais claro de pele do que Barreto – Machado de Assis.[189]

A ambiguidade da linha de cor/classe social e o embranquecimento constituem mecanismos estratégicos que auxiliaram individualmente na ascensão de negros e mestiços na sociedade brasileira. Na década

---

[186] NASCIMENTO, Abdias do. *Op. cit.*, p. 126.
[187] NABUCO, Joaquim. In: *Revista do Livro*, v. V, Ano II, mar.1957, p. 164, *apud* OLIVEIRA, Eduardo de Oliveira e. *Op. cit.*, p. 70.
[188] FREYRE, Gilberto. *Vida, forma e cor*. Rio de Janeiro, Livraria José Olympio Editora, 1962, *apud* Oliveira, Eduardo de Oliveira e. *Op. cit.*, p. 72.

de 1930, tentou-se erigir essa mesma estratégia ao nível coletivo. Com efeito, a imprensa negra, criada nessa década em São Paulo, através de jornais como *O clarão e Alvorada*, começara a denunciar as práticas discriminatórias contra negros, existentes na procura do emprego, no ensino, nas atividades e lugares de lazer. Dessa movimentação nasceu, em 1931, a "Frente Negra", considerada como o primeiro movimento racial realmente reivindicativo após a abolição da escravatura.[190] Esse movimento, transformado em partido político em 1936 e interditado no ano seguinte, como todos os outros partidos políticos do País pela ditadura de Getúlio Vargas, e todos os demais movimentos negros que apareceram e desapareceram entre 1945 e 1970 (por ex.: Primeira Convenção Nacional do Negro, Teatro experimental do negro) estavam preocupados em dar ao negro uma nova imagem, semelhante àquela proposta pela ideologia de "democracia racial". Todos escolheram a escola e a educação como campo de batalha. Pensavam eles que o racismo, filho da ignorância, terminaria graças à tolerância proporcionada pela educação. Corolário: era o próprio negro, vítima designada pelo racismo, que devia se transformar para merecer a aceitação pelos brancos. Por isso, ele devia renunciar a viver na promiscuidade, na preguiça e na autodestruição. Resumidamente, a educação, a formação e a assimilação do modelo branco forneceriam as chaves da integração. Até o branco mais limitado não hesitaria em abrir a porta ao negro qualificado, culto e virtuoso. A maioria desses movimentos organizava intensivas campanhas de educação, dando ênfase ao bom comportamento na sociedade. Alguns fizeram até publicidade de cosméticos destinados a alisar os cabelos e excluíram do meio cultural negro qualquer manifestação de origem africana considerada como inferior. A referência era o modelo proposto pela sociedade dominante, isto é, branca. Daí a ambiguidade desses movimentos que, embora protestassem contra os preconceitos raciais e as práticas discriminatórias, alimentaram sentimentos de inferioridade perante sua identidade cultural de origem africana.[191]

---

[189] Azevedo, Thales de. *Democracia racial: ideologia e realidade. Op. cit.*, p. 30.

[190] BERGMAN, Michel. *Nasce um povo*, 2. ed., Petrópolis, Vozes, 1972, p. 23.

Mestiçagem como símbolo da identidade brasileira

Em *La Raza Cósmica*, obra publicada em 1925, o filósofo mexicano, José Vasconcelos, pensava que a América Latina ia se tornar uma nova raça, rica de todas as virtualidades das raças anteriores, a raça final, a raça cósmica. A sua previsão confirmou-se nos fatos, pois em nenhuma outra parte do mundo a mestiçagem foi tão importante como na chamada América Latina, a ponto de tornar impossível a determinação exata do *status* racial da maioria dos atuais latino-americanos.[192] São numerosas as obras que oferecem cifras e percentagens precisas sobre a composição racial das nações latino-americanas. Dizem, por exemplo, que 65% dos venezuelanos são mestiços, 20% brancos, 8% negros e 7% índios; que 9,5% dos panamenhos são índios, 11,1% brancos, 13% negros e 65% mestiços.[193] De um certo ponto de vista, as relações raciais e a mestiçagem constituem a trama de toda a história da América Latina. Mesmo admitindo que o aspecto puramente "racial" dessa história se tornou cada vez menos importante, ninguém pode negar que, no ponto de partida da evolução da América Latina, se situa o encontro de elementos mongoloides, caucasoides e negroides.[194]

Darcy Ribeiro tem, a respeito do povo brasileiro, uma visão muito próxima da do célebre filósofo mexicano José Vasconcelos. Do entre-

---

[191] MAGNUS, Mörner. *Le métissage dans l'histoire de l'Amérique Latine.* Paris, Fayard, 1971, p. 11.
[192] ALMANAC Nova York, 1964, p. 732-763, *apud* MAGNUS, Mörner. *Op. cit.*, p. 12.
[193] MAGNUS, Mörner. *Op. cit.*, p. 13.

choque e do caldeamento do invasor português com índios e africanos escravizados resultou, segundo ele, um povo novo, num novo modelo de estruturação societária.

> Novo porque surge como uma etnia nacional, diferenciada culturalmente de suas matrizes fundadoras, fortemente mestiçada, dinamizada por uma cultura sincrética e singularizada pela redefinição de traços culturais delas oriundos. Também novo porque se vê a si mesmo e é visto como uma gente nova, um novo gênero humano diferente de quantos existiam.[195]

A ideia de uma nova etnia nacional traduz a de uma unidade que restou de um processo continuado e violento de unificação política por meio de supressão das identidades étnicas discrepantes e de opressão e repressão das tendências virtualmente separatistas, inclusive dos movimentos sociais que lutavam para edificar uma sociedade mais aberta e solidária.[196]

Talvez esse processo de unificação política brasileira, feito num clima antidemocrático, explicaria por que a confluência de tantas e tão variadas matrizes formadoras não resultou na formação de uma sociedade multiétnica.

> Ocorreu justamente o contrário, uma vez que, apesar de sobreviverem na fisionomia somática e no espírito dos brasileiros os signos de sua múltipla ancestralidade, não se diferenciaram em antagônicas minorias raciais, culturais ou regionais, vinculadas a lealdades étnicas próprias e disputantes de autonomia frente à nação.[197]

O surgimento de uma etnia brasileira, capaz de envolver e acolher a gente variada que no País se juntou, passa tanto pela anulação das identificações étnicas de índios, africanos e europeus quanto pela indiferenciação entre as várias formas de mestiçagem. Mas para não ficar apenas na especulação, Darcy coloca a questão concreta de saber quando surgiram os brasileiros conscientes de si e responde:

---

[194] RIBEIRO, Darcy. *O povo brasileiro*, 2. ed., São Paulo, Companhia das Letras, 1995, p. 19.
[195] RIBEIRO, Darcy. *Op. cit.*, p. 23.
[196] RIBEIRO, Darcy. *Op. cit.*, p, 20.

Isso se dá quando milhões de pessoas passam a se ver não como oriundas dos índios de certa tribo, nem africanos tribais ou genéricos, porque daquilo havia saído, e muito menos como portugueses metropolitanos ou crioulos, e a sentir-se soltas e desafiadas a construir-se a partir das rejeições que sofriam, com nova identidade étnico-racial, a de brasileiros.[198]

Se a questão colocada é concreta, a resposta dada é especulativa. Nenhuma voz dos mestiços brasileiros constitutivos da nova etnia brasileira contou algo sobre o caminho por eles percorrido até a tomada de sua consciência enquanto autênticos brasileiros. Nenhum documento que pudesse apontar na direção do autor de *O povo brasileiro*. Por outro lado, o autor entra em contradição com a afirmação de que a nova identidade resultou de opressão e repressão das identidades anteriores.

No nosso entender, o modelo sincrético, não democrático, construído pela pressão política e psicológica exercida pela elite dirigente, foi assimilacionista. Ele tentou assimilar as diversas identidades existentes na identidade nacional em construção, hegemonicamente pensada numa visão eurocêntrica. Embora houvesse uma resistência cultural tanto dos povos indígenas como dos alienígenas que aqui vieram ou foram trazidos pela força, suas identidades foram inibidas de manifestar-se em oposição à chamada cultura nacional. Esta, inteligentemente, acabou por integrar as diversas resistências como símbolos da identidade nacional. Por outro lado, o processo de construção dessa identidade brasileira, na cabeça da elite pensante e política, deveria obedecer a uma ideologia hegemônica baseada no ideal do branqueamento. Ideal esse perseguido individualmente pelos negros e seus descendentes mestiços para escapar aos efeitos da discriminação racial, o que teve como consequência a falta de unidade, de solidariedade e de tomada de uma consciência coletiva, enquanto segmentos politicamente excluídos da participação política e da distribuição equitativa do produto social.

A construção dessa unidade, dessa identidade dos excluídos supõe, na perspectiva dos movimentos negros contemporâneos, o resgate de sua cultura, do seu passado histórico negado e falsificado, da consciência de sua participação positiva na construção do Brasil, da cor de sua pele

---

[197] RIBEIRO, Darcy. *Op. cit.*, p. 132-133.

inferiorizada etc... Ou seja, a recuperação de sua negritude, na sua complexidade biológica, cultural e ontológica. Ora, uma tal proposta se mostra contraditória à afirmação de uma identidade mestiça contida na obra *O povo brasileiro*. Se Darcy Ribeiro acredita na existência de uma cultura brasileira mestiça, o que é uma visão unicultural do Brasil, os movimentos negros contemporâneos defendem a construção de uma sociedade plural, biológica e culturalmente.

Darcy aprofunda suas contradições a respeito da consciência própria do mestiço quando afirma que os mulatos só progridem na medida em que negam sua negritude e tentam participar biológica e socialmente do mundo branco:

> [...] pode acertar-se melhor de sua cultura erudita e nos deu algumas das figuras mais dignas e cultas, que tivemos nas letras, nas artes, na política. Entre eles o escultor Aleijadinho; o escritor Machado de Assis; o jurista Rui Barbosa; o compositor José Maurício; o poeta Cruz e Souza; o tribuno Luís Gama; como políticos, os irmãos Mangabeira e Nelson Carneiro; e, como intelectuais, Abdias do Nascimento e Guerreiros Ramos [...] Posto entre os dois mundos – o do negro, que ele rechaça, e o do branco que o rejeita –, o mulato se humaniza no drama de ser dois, que é o de ser ninguém.[199]

Vê-se que Darcy Ribeiro, coerente na sua definição do atual brasileiro, considera Abdias do Nascimento, seu suplente no Senado, como um mulato, contrariando a própria ideologia deste último, que não se considera como tal. Quanto à expectativa tão esperada do progressivo branqueamento da sociedade, Darcy a substitui por uma morenização bilateral que se opera tanto pela branquização dos pretos como pela negrização dos brancos: "desse modo, devemos configurar no futuro uma população morena em que cada família, por imperativo genético, terá por vez, ocasionalmente, uma negrinha retinta ou uma branquinha desbotada".[200] Mas, apesar de acreditar na morenização do Brasil futuro, ele fala do possível crescimento da população negra, tendo em vista os maiores índices de fertilidade em razão de sua pobreza:

---

[198] RIBEIRO, Darcy. *Op. cit.*, p. 223.
[199] RIBEIRO, Darcy. *Op. cit.*, p. 224.

é verdade que com os maiores índices de fertilidade dos pretos, em razão de sua pobreza e da conduta que corresponde a ela, os negros iriam imprimir mais fortemente sua marca na população brasileira. Não é impossível que, lá pelos meados do próximo século, num Brasil de 300 milhões, haja uma nítida preponderância de pretos e mulatos.[201]

Retomando quase Oracy Nogueira na sua distinção entre o racismo de origem e o racismo de marca, Darcy acrescenta um outro aspecto do branqueamento resultante não somente da miscigenação, mas sim da conjugação desta com os fatores socioeconômicos e culturais. Com efeito, todos os negros que social e economicamente tiveram ascensão passaram a integrar os grupos de convivência brancos da mesma classe social ou mesmo nível cultural. São aqueles designados popularmente como "negros de alma branca". Para exemplificar esse outro aspecto do branqueamento, Darcy relembra o diálogo entre o pintor negro, Santa Rosa, com um jovem, também negro. Ao escutar as queixas desse jovem, candidato a uma carreira diplomática, sobre as barreiras que impedem a ascensão das pessoas de cor, o pintor respondeu comovido: "Compreendo perfeitamente seu caso, meu caro, eu também já fui negro".[202] Esse diálogo, bem lembrado por Darcy, nos coloca novamente na ambiguidade entre cor e classe social, que é uma das características do racismo brasileiro. Por isso, muita gente no Brasil, entre os mais esclarecidos, estudiosos das áreas das humanidades, políticos da esquerda, jornalistas etc... não se cansam de repetir a frase "a discriminação mais importante no Brasil é social". Por mais que essas pessoas tentem conscientemente se libertar do mito de "democracia racial", esse ronda sempre em suas cabeças por causa dessa ambiguidade cor/classe.

O povo brasileiro surgiu do cruzamento de uns poucos brancos com multidões de mulheres índias e negras. Daí a tolerância no Brasil das uniões inter-raciais nunca tidas, segundo Darcy, como crime ou pecado. Embora rejeite o pensamento de Gilberto Freyre em ver na tolerância desse intercurso sexual entre branco e negra a configuração de uma democracia racial, porque a própria expectativa de que o negro desapare-

---

[200] RIBEIRO, Darcy. *Op. cit.*, p. 225.
[201] RIBEIRO, Darcy. *Op. cit.*, p. 225.

ceria pela mestiçagem é um racismo, Darcy pondera: "Mas o certo é que contrasta muito, e contrasta para melhor, com as formas de preconceito propriamente racial que conduzem ao *apartheid*".[203] Examinando bem essa frase, Darcy parece-me um dos pensadores que acreditavam, comparativamente ao *apartheid* e ao sistema *Jim Crow*, que o racismo brasileiro é o melhor por não ter criado uma linha de cor e por permitir o *passing*, ou seja, a drenagem dos mestiços mais claros na categoria de brancos.

Sem aderir a esse tipo de comparação que arriscaria levar o autor de *O povo brasileiro* a um julgamento de valor dos diversos racismos que existem no mundo, nós ficaríamos com Oracy Nogueira, para quem todos os racismos são abomináveis. Mas cada um deles tem uma dinâmica particular que conduz a resultados e a consequências diferentes na luta de suas vítimas.

> O preconceito de origem leva à retenção do grupo racial oprimido de seus membros mais bem-sucedidos com a consequente acumulação, através das gerações, de suas conquistas culturais e patrimoniais; enquanto o de marca condiciona a progressiva incorporação ao grupo racial hegemônico dos mestiços, na medida em que perdem as características do grupo oprimido, com a consequente transferência das conquistas de um grupo para outro.[204]

Nogueira acrescenta, tocando o nó da diferenciação: "tais consequências – acumulação das conquistas, de um lado, e transferência de outro, intensificação da consciência grupal ou de sua diluição – têm implicação política e pragmática que seria ingenuidade ignorar".[205] Nos Estados Unidos, onde o preconceito enfatiza a origem, a identidade de um indivíduo ou de um grupo será construída com base na origem racial fundada no princípio de hipodescendência. No Brasil, onde a ênfase está na marca ou na cor, combinando a miscigenação e a situação sociocultural dos indivíduos, as possibilidades de formar uma identidade coletiva que aglutina "negros" e "mestiços", ambos discriminados e excluídos, ficam prejudicadas.

---

[202] RIBEIRO, Darcy. *Op. cit.*, p. 226.
[203] NOGUEIRA, Oracy. *Tanto preto quanto branco. Op. cit.*, p. 23.
[204] NOGUEIRA, Oracy. *Op. cit.*, p. 23.

Por isso, fica difícil, para nós, aceitar a expressão "contrasta para melhor" utilizada por Darcy, expressão que, examinada ao extremo, nos levaria à ideia de que o racismo brasileiro é o melhor, comparativamente aos sistemas odiosos praticados na África do Sul e no Sul dos Estados Unidos. Aqui, seu pensamento contrasta radicalmente com o do seu sucessor e companheiro de Partido, o Senador Abdias do Nascimento, que caracteriza a mestiçagem brasileira como um genocídio deliberado para exterminar fisicamente a população negra, portanto um crime e um "pecado".

Darcy reconhece no *apartheid* conteúdos de tolerância que no Brasil se ignoram, porque, como disse: "quem afasta o 'altero' e o põe à distância maior possível admite que ele conserve, lá longe, sua identidade, continuando a ser ele mesmo".[206] Do nosso ponto de vista, não encontramos sinal de tolerância num regime que, durante quase meio século, manteve separados do berço ao túmulo os brancos e não brancos. Para nós, a chamada tolerância das diferenças raciais e culturais na África do Sul durante o *apartheid* foi apenas uma estratégia ou um pretexto para legitimar a segregação racial e, consequentemente, a exclusão da população negra de seus direitos cívicos e políticos. Quem aparta e segrega não mostra nenhuma tolerância para conviver com as diferenças.

E tolerar, já disse o prof. Florestan Fernandes, falando do Brasil, não significa aceitar o outro como igual. É apenas um jeito de evitar conflitos abertos e adiar a busca de soluções (o comentário é nosso). É certo que o *apartheid* na sua dinâmica (aqui estamos de acordo com o prof. Darcy) levou a certas consequências, induzindo à profunda solidariedade interna dos grupos apartados e segregados, capacitando-os a lutar por seus direitos sem admitir paternalismos.[207]

Apesar de certo julgamento de valor, Darcy não perde de vista as consequências de um racismo assimilacionista como o brasileiro:

> Nas conjunturas assimilacionistas, ao contrário, se dilui a negritude numa vasta escala de graduações, que quebra a solidariedade, reduz

---

[205] RIBEIRO, Darcy. *Op. cit.*, p. 226.
[206] RIBEIRO, Darcy. *Op. cit.*, p. 226.

a combatividade, insinuando a ideia de que a ordem social é uma ordem natural, senão sagrada.[208]

Se, de um lado, a expectativa da miscigenação brasileira é discriminatória porque espera que os negros clareiem em vez de aceitá-los tal qual são, de outro ela é integradora como mecanismo de miscigenação:

> o preconceito de raça, de padrão anglo-saxônico, incidindo indiscriminadamente sobre cada pessoa de cor, qualquer que seja a proporção de sangue negro que detenha, conduz necessariamente ao apartamento, à segregação e violência, pela hostilidade a qualquer forma de convívio. O preconceito de cor dos brasileiros, incidindo diferencialmente segundo o matiz da pele, tendendo a identificar como branco o mulato claro, conduz antes a uma expectativa de miscigenação. Expectativa, na verdade, discriminatória, porquanto aspirante a que os negros clareiem, em lugar de aceitá-los tal qual são, mas impulsora da integração.[209]

Essa leitura do conteúdo integrador do racismo brasileiro é, sem dúvida, inspirada pela obra de Oracy Nogueira, *Preconceito racial de marca e preconceito racial de origem*. Mas o que diferencia Darcy de Oracy é o fato de o primeiro erigir em valor positivo o que é apenas a consequência da dinâmica de um sistema racista. A rigor, esse julgamento de valor se aproxima do discurso ideológico defensor da democracia racial, ao buscar no racismo brasileiro algo de positivo ausente em outros tipos de racismo historicamente conhecidos.

> Essa ideologia integracionista encorajadora do caldeamento é, provavelmente, o valor mais positivo da conjunção inter-racial brasileira. Não conduzirá, por certo, a uma branquização de todos os negros brasileiros na linha das aspirações populares – afinal racistas, porque esperam que os negros clareiem, que os alemães amorenem, que os japoneses generalizem seus olhos amendoados – mas tem o valor de reprimir antes a segregação que o caldeamento.[210]

---

[207] RIBEIRO, Darcy. *Ibidem*.
[208] RIBEIRO, Darcy. *Op. cit.*, p. 236.
[209] RIBEIRO, Darcy. *Op. cit.*, p. 238.

Darcy acredita, embora pense que a ideologia integracionista não conduzirá a um branqueamento de todos os negros, na homogeneização cada vez maior da população brasileira, contrariando as lições da genética humana:

> é de supor que, por esse caminho, a população brasileira se homogeneizará cada vez mais, fazendo com que, no futuro, se torne ainda mais coparticipado por todos um patrimônio genético multirracial comum.[211]

Como acreditar numa suposta harmonização quando o biológico e o social não se conjugam, porque no Brasil, apesar do conteúdo integrador e assimilacionista defendido por Darcy, os mestiços constituem, pela sua importância numérica, a categoria social mais excluída e mais discriminada? Basta olhar a cor das vítimas do Carandiru, de Vigário Geral e da Favela de Diadema para nos convencermos disso. Esses mestiços de hoje constituem a população que mais cresce demograficamente,[212] não são mais filhos naturais dos senhores de engenhos que, segundo estudos anteriores, se beneficiaram de alguma proteção de seus pais. Eles ocupam, cada vez mais, a posição subalterna do negro, conjugando o critério da cor com o critério econômico.

Conta-nos o prof. Darcy Ribeiro que o mameluco, originado pelo cunhadismo e o mulato não eram nem europeus, nem índios e nem africanos. Eram ninguém. Tiveram de sair dessa "ninguedade" para procurar uma identidade, para inventar a sua própria identidade, que viria a ser brasileira. "Essa mestiçagem de gente, que não são nem europeus, nem indígenas, nem africanos, nem nada" é o que Darcy chama de gênero humano novo, "uma civilização que vai se apresentar ao mundo como outra coisa melhor que o mundo ainda não viu. Esta outra coisa é uma coisa melhor, porque tem uma humanidade incorporada".[213]

---

[210] RIBEIRO, Darcy. *Ibidem.*
[211] BERQUÓ, Elsa. *Demografia da desigualdade. Algumas considerações sobre o negro no Brasil.* Comunicação apresentada na reunião "The demography of inequality in contemporary Latin América", Universidade da Flórida, 21-24 de fevereiro de 1988.
[212] RIBEIRO, Darcy. Sobre a mestiçagem no Brasil. In: SCHWARCZ, Lília Moritz e QUEIROZ, Renato da Silva (orgs.). *Raça e diversidade.* São Paulo, Ed. Estação Ciência/EDUSP, 1996, p. 197-198.

Estamos de acordo que o Brasil é uma nova civilização, feita das contribuições de negros, índios, europeus e asiáticos que aqui se encontraram. Apesar do fato colonial e da assimetria no relacionamento que dele resultou, isso não impediu que se processasse uma transculturação entre os diversos segmentos culturais, como se pode constatar no cotidiano brasileiro. Nessa nova cultura, que não chega, a meu ver, a se configurar como sincrética, mas que eu qualificaria como uma cultura de pluralidades, partilhadas por todos, é identificável a contribuição do índio, do negro, do europeu de origem italiana, portuguesa, alemã etc... e do asiático. Por exemplo, a música baiana (axé music) é cantada e dançada em todos os cantos do Brasil. Na sua estrutura, pode haver elementos de outras procedências (jamaicanos, americanos etc...) que dariam a ela um certo conteúdo sincrético. Mas em termos de identidade que não é sinônimo de pureza, trata-se de uma música afro-baiana, apesar de ser cantada por todos os brasileiros sem discriminação racial. Perante o mundo é uma música brasileira e, portanto, um dos elementos da identidade brasileira a ser integrado numa cultura brasileira plural e não sincrética. Essa integração das diversidades ou pluralidades culturais é o que caracterizaria, a meu ver, o assimilacionismo brasileiro e faz com que a chamada cultura nacional, feita de colcha de retalhos e não de síntese, não impeça a produção cultural das minorias étnicas, apesar da repressão que existiu no passado, mas apenas consiga inibir a expressão política dessas enquanto oposição dentro do contexto nacional.

Por isso, vejo difícil a tomada de consciência ao nível grupal dos diversos mestiços (mamelucos, mulatos e outros) para se autoproclamarem como povo brasileiro, com identidade própria, mestiça. Esse processo teria sido prejudicado pela ideologia e pelo ideal do branqueamento. Se todos (salvo as minorias étnicas indígenas), negros, mestiços, pardos – aspiram à brancura para fugir das barreiras raciais que impedem sua ascensão socioeconômica e política, como entender que possam construir uma identidade mestiça quando o ideal de todos é branquear cada vez mais para passar à categoria branca?

A luta dos movimentos negros brasileiros contemporâneos, que enfatiza muito o resgate de sua identidade étnica e a construção de uma sociedade plurirracial e pluricultural na qual o mulato possa solidarizar-se com o negro, em vez de ver suas conquistas drenadas no grupo branco, desmente a ideia de uma identidade mestiça conscientemente consolidada. Sem dúvida, o conceito de pureza racial, que biologicamente nunca existiu em nenhum país do mundo, se aplicaria muito menos ainda a um país tão mestiçado como o Brasil. No entanto, confundir o fato biológico da mestiçagem brasileira (a miscigenação) e o fato transcultural dos povos envolvidos nessa miscigenação com o processo de identificação e de identidade, cuja essência é fundamentalmente político-ideológica, é cometer um erro epistemológico notável. Se, do ponto de vista biológico e sociológico, a mestiçagem e a transculturação entre povos que aqui se encontraram é um fato consumado, a identidade é um processo sempre negociado e renegociado, de acordo com os critérios ideológico-políticos e as relações do poder.

O exemplo de alguns países ocidentais construídos segundo o modelo Estado-Nação, que passavam a imagem de que havia uma unidade cultural conjugada com a unidade racial e onde ressurgem hoje os conflitos étnicos e identitários, iluminaria o processo brasileiro e, sobretudo, a ideia de que existe uma identidade mestiça. Uma tal identidade resultaria, a meu ver, das categorias objetivas da racionalidade intelectual e da retórica política daqueles que não querem enfrentar os verdadeiros problemas brasileiros.

Mestiçagem e políticas afirmativas no Brasil do século XXI

No ponto de partida do *Rediscutindo a mestiçagem no Brasil: identidade nacional* versus *identidade negra*, queria entender o processo de construção da identidade negra no Brasil, as dificuldades e os obstáculos encontrados no caminho desse processo. Esbarrei em uma dificuldade devida a uma figura importante entre negros e brancos: o indivíduo mestiço. Isso me obrigou a reabrir a discussão sobre a mestiçagem, visando principalmente decodificar seus significados simbólicos e políticos no discurso sobre a identidade brasileira e a identidade negra. Precisei, primeiramente, encontrar os vestígios da mestiçagem na história da humanidade, começando pelas antigas civilizações egípcia, grega e romana. Passei a analisar a mestiçagem na história do pensamento ocidental, a começar pelos filósofos das luzes até chegar aos séculos XIX e XX e a questão da mestiçagem na doutrina nórdica. Essa longa viagem, no tempo e no espaço, sintetizada em poucas páginas deste livro, auxiliou-me no entendimento das raízes do pensamento brasileiro sobre a mestiçagem.

De modo geral, a mestiçagem nasce da própria história ou mistério da procriação, ou seja, da união entre um homem e uma mulher resulta, geralmente, uma terceira pessoa, não descartando as gestações múltiplas. Um mais um é igual a três, numa matemática da vida diferente da matemática formal. Esse terceiro indivíduo recebeu a metade do patrimônio genético do pai e a outra da mãe e é, portanto, um indivíduo mestiço. Mas a mestiçagem da qual se fala geralmente é a que resulta do cruzamento entre pessoas pertencentes às grandes raças branca, negra e amarela, definidas *a priori* pela ciência entre os séculos XVIII e XX. É um fenômeno universal ao qual as populações ou conjunto de populações só podem escapar por períodos limitados.

Estritamente biológica e natural, a mestiçagem deriva de um fluxo de genes entre populações que apresentam certas diferenças biológicas. Por isso, no senso comum, a mestiçagem parece resultar da evidência e recobrir realidades biológicas que se impõem por si mesmas. No entanto, trata-se também de uma categoria cognitiva, cujo conteúdo é mais ideológico que biológico. Ou seja, a noção da mestiçagem, cujo uso é popular e científico, é saturada de ideologia. Daí a importância, antes de qualquer análise, de conhecer as diversas conotações atribuídas a esse conceito. Os capítulos I e II deste livro sintetizam esse pensamento.

A primeira edição do *Rediscutindo a mestiçagem no Brasil* foi publicada em 1999, isto é, vinte anos atrás. Durante esse tempo, algumas das ideias defendidas podem ter sido superadas e/ou ultrapassadas, o que é compreensível diante da dinâmica dos fenômenos sociais que estudamos. No entanto, a questão central defendida, ou seja, o uso e as representações político-ideológicas e sociais da mestiçagem no discurso da ideologia dominante em defesa da identidade nacional tida como mestiça e no discurso do movimento negro para construir sua identidade coletiva enquanto vítima do racismo à brasileira se mantêm. Esse uso ressurge com muita força a partir dos anos 2000, quando se começou a discutir as políticas afirmativas e as cotas para negros na sociedade brasileira.

A questão colocada é: quem é o negro que na sociedade brasileira tida como mestiça poderia ser beneficiado pelas cotas? Veio também o debate sobre a questão de saber se essas políticas que beneficiariam os negros não suprimiriam a categoria mestiça – demograficamente a mais numerosa – e não traria de volta a raça e consequentemente conflitos raciais que o Brasil desconhece?

Nesse debate apaixonado, tanto em favor quanto contra as políticas afirmativas, travado calorosamente numa perspectiva maniqueísta do bem e do mal, os especuladores intelectuais brancos não dialogaram com os mestiços para saber o que pensam a respeito. Infelizmente, adotaram uma atitude paternalista, que costumam usar quando falam de seus "objetos" de estudo. Na verdade, os verdadeiros mestiços não estão em ameaça, mas sim os filhos e as filhas da minoria branca, oriundos(as) dos colégios particulares e constituintes do grupo tradicional mais numeroso das universidades públicas brasileiras, que se sentiam ameaçados(as). Por isso, pensei que a melhor atualização do *Rediscutindo a mestiçagem no Brasil*, vinte anos depois, passaria por esta discussão recente, retomando algumas críticas a mim dirigidas. Não vejo melhor alternativa, se não rediscutir os trechos dos livros que retomam a temática da mestiçagem no Brasil no âmbito das políticas afirmativas e algumas de suas consequências, como a questão das fraudes e do colorismo, ambas vinculadas à questão da mestiçagem e suas representações e uso político-ideológico no Brasil do século XXI.

Mestiçagem e discursos contra as políticas afirmativas

Em seu texto "Pardos", publicado no livro *Divisões perigosas: políticas raciais no Brasil contemporâneo*,[214] Demétrio Magnoli escreve: "Raças humanas são invenções culturais do poder político. O Império fabricou os pardos. O Estado se entrega agora à fabricação de um país de 'Brancos' e 'Negros', isento de meios-tons". Em outros termos, o autor quer dizer que a institucionalização de políticas afirmativas que beneficiariam os negros e indígenas pelo Estado brasileiro teria como consequência a supressão dos pardos.

De que supressão ele fala? Biológica ou sociopolítica? A supressão biológica não é possível, pois o Estado brasileiro não teria o poder de contrariar as leis da genética humana numa realidade em que os casamentos e intercursos sexuais entre pessoas pertencentes às chamadas raças diferentes sempre aconteceram e continuarão a acontecer, como na do Brasil. Na hipótese de que Magnoli se refere somente à eliminação sociopolítica, o que não é explícito em seu texto, isso também não seria possível, porque as cotas, de acordo com a Lei Federal 12.711/12, beneficiam os pretos, os pardos, os indígenas e os brancos oriundos de escolas públicas de acordo com a renda familiar. Tal fato torna insustentável a defesa da ideia de que essas cotas são somente raciais. Com efeito, são todas cotas sociais, uma vez que todos os problemas da sociedade são sociais, o que invalida a oposição entre cotas raciais e cotas sociais. Sem dúvida, o social é complexo e deve ser visto para além das peculiaridades que o compõem.

O conceito de "negro" inclui pretos e pardos numa mesma categoria política construída para beneficiar todas as vítimas do racismo – pretos e pardos –, de acordo com o princípio de que "a união faz a força". Aliás, a regra

---

[214] FRY, Peter. *et al.* (Orgs.). *Divisões perigosas: políticas sociais no Brasil contemporâneo*. São Paulo: Civilização Brasileira, 2007, p. 118-120.

de uma única gota de sangue (*one-drop rule*) do modelo racista americano, que reúne negros e mestiços numa mesma categoria social chamada "Black", não suprimiu os mestiços, pois eles têm a consciência de que geneticamente resultaram da mistura racial, mas que política e socialmente são negros.

A categoria "afrodescendente", que inclui também negros e mestiços teria sido utilizada, mas evitou-se seu uso ao considerar que a África é o berço da humanidade e qualquer pessoa, pouco importando sua cor de pele, poderia, em termos oportunistas, reivindicar sua afrodescendência para ter acesso às reservas de vagas para negros.

Em seu livro *Uma gota de sangue: a história do pensamento racial*,[215] Demétrio Magnoli me critica por identificar na mestiçagem uma ameaça existencial para os "afrodescendentes no Brasil", reforçando sua acusação anteriormente publicada no jornal O Estado de S. Paulo.[216] Nessa matéria, o autor critica e acusa agressivamente as universidades federais de Santa Maria (UFSM) e de São Carlos (UFSCAR) e também a mim.

Essas duas instituições são criticadas e acusadas por terem, segundo Demétrio, criado "tribunais raciais" que rejeitam as matrículas de jovens mestiços que optam pelas cotas raciais. A questão que se põe é saber se além desses estudantes, cujas matrículas foram canceladas, outros alunos mestiços ingressaram nas cerca de setenta universidades públicas que aderiram à política de cotas até naquele ano. Se a resposta for afirmativa, os que tiveram sua matrícula cancelada constituem casos raros ou excepcionais que mereceriam a atenção não apenas de Demétrio Magnoli, mas também de todas as pessoas que defendem a justiça e a igualdade de tratamento. Mas por que esses casos raros, que constituem a exceção e não a regra, foram "injustiçados" pelas comissões de controle, às quais o sociólogo chama "tribunais raciais", formadas nessas universidades para evitar fraudes? Por que só eles? Por que não ocorreu o mesmo com os outros mestiços aprovados? Houve realmente injustiça racial ou erro humano na avaliação da identidade física dessas pessoas, que foram simplesmente consideradas brancas e não mestiças apesar de sua autodeclaração?

---

[215] MAGNOLI, Demétrio. *Uma gota de sangue: história do pensamento racial*. São Paulo: Contexto, 2009. p. 380.

[216] MAGNOLI, Demétrio. Monstros tristonhos. *O Estado de S. Paulo*, São Paulo, 14 de maio 2009. Disponível em: <arquivoetc.blogspot.com/2009/05/demetrio-magnoli-monstro-tristonhos.html>.

Se realmente houve erro humano na verificação da identidade desses estudantes, a explicação não está na citação intencionalmente deturpada de algumas linhas extraídas de um texto de três páginas, de minha autoria, para introduzir o livro de Eneida de Almeida dos Reis, intitulado *Mulato: negro-não-negro e/ou branco-não-branco*.[217]

Nesse texto, escrevo o seguinte:

> Este eloquente título mostra que as representações dos indivíduos nascidos dos casamentos e relacionamentos inter-raciais ou interétnicos na nossa sociedade são mais político-ideológicas do que biológicas. Os chamados mulatos têm seus patrimônios genéticos formados pela combinação dos cromossomos de "branco" e de "negro", o que faz deles seres naturalmente ambivalentes, ou seja, a simbiose de um e de outro, do "branco" e do "negro". Porém, no plano social e político-ideológico, eles não podem mais sustentar essa ambivalência resultada de sua natureza mestiça.
>
> Explorando sugestivamente o título do livro, podemos logicamente afirmar que os mestiços são parcialmente negros, e não o são totalmente por causa do "sangue" ou "gotas do sangue" que carregam do branco. Os mestiços são também brancos, mas o são apenas parcialmente por causa do "sangue" que carregam do negro.
>
> Se, no plano biológico, a ambiguidade dos "mulatos" é uma fatalidade da qual não podem escapar, no plano social e político-ideológico eles não podem permanecer "um" e "outro", "branco" e "negro"; não podem se colocar numa posição de indiferença ou de neutralidade quando os conflitos latentes ou reais que existem entre os dois grupos aos quais pertencem, biológica e/ou etnicamente, se manifestam.
>
> Aqui está o dilema da construção da identidade dos "mulatos". Teoricamente, eles têm três opções: optar pela identidade de um dos grupos; construir a sua identidade mestiça; ficar perdidos sem nenhuma opção. No entanto, a prática social tem demonstrado que mesmo se o desejassem e o quisessem, eles não seriam vistos totalmente como brancos ou como negros. Ou seja, a opção pela identidade do "branco" não lhes seria totalmente franqueada, pois a mestiçagem constitui uma ameaça à identidade daqueles que ainda acreditam na "pureza racial". Visto deste ângulo, não são raras as situações de competição em que os indivíduos "mulatos" deixam ser chamados de "doutores" para se tornarem "negrinhos" e "ne-

---

[217] MUNANGA, Kabengele. Introdução. In: *Mulato: negro-não-negro e/ou branco-não-branco*. São Paulo: Altana, 2002. p. 19-21. (Coleção Identidades)

grinhas" metidos(as). Também não são poucos os depoimentos de jovens mestiços(as) discriminados(as) por negros(as) em alguns contextos.

Construir uma identidade "mestiça" ou "mulata", que incluiria "um" e "outro" ou excluiria "um" e "outro", é considerado por mestiços(as) conscientes e politicamente mobilizados(as) como uma aberração política e ideológica, pois supõe uma atitude de indiferença e de neutralidade perante o processo de construção de uma sociedade democrática, na qual o exercício de plena cidadania, a busca de igualdade e o respeito às diferenças constituem tributos fundamentais. Já que eles também são discriminados e excluídos, eles preferem adotar a identidade do "negro", não por desconsiderar sua ambivalência no plano biológico ou por ignorar as representações que os dois grupos, o branco e o negro, têm deles, mas por uma questão de solidariedade política com a maior vítima da sociedade, com a qual se identificam e são identificados. Sabe-se que, no Brasil, os "mulatos" e os "negros" não estão coletivamente representados no comando da sociedade em todos os planos: político, econômico, intelectual etc.

Além da discussão sobre o difícil processo de construção da identidade coletiva dos "mulatos", à qual nos convida o livro de Eneida de Almeida dos Reis, ele aponta também outro lado da questão muito pouco analisado, isto é, o doloroso processo de construção da identidade individual do sujeito mestiço.

Quando tento em minhas aulas explicar para meus alunos os efeitos de introjeção e interiorização da ideologia racista pelas próprias vítimas do racismo, e consequentemente a alienação de sua natureza humana, uso com muita frequência o caso da personagem Maria, personagem real e mestiça, trazida à tona pela pesquisa da professora Eneida.

Num processo clínico, Maria tenta recuperar a imagem positiva do seu falecido pai, que rejeitou e odiou durante sua vida, pois o considerava negativamente como a origem da rejeição social da qual ela foi vítima durante sua infância e juventude. Esse ódio do pai foi projetado em todos os indivíduos negros que cruzassem o caminho da Maria. Ela queria assemelhar-se aos brancos de corpo e alma, como se vê em suas relações sociais e amorosas e no tratamento do seu corpo, principalmente do seu cabelo. Admirável Maria, que, ao assumir-se como filha de um homem negro e de uma mulher branca, fez questão de se identificar sem pseudônimo na narrativa da dissertação de mestrado que deu origem à obra que ora apresentamos.[218]

---

[218] *Ibidem.* p. 19-21.

O texto aqui transcrito foi objeto de uma crítica ideologicamente deturpada no livro *Uma gota de sangue*, de Demétrio Magnoli,[219] que cita trechos dele com comentários críticos forjados que nada têm a ver com o conteúdo que lhes atribuí. Ao afirmar que os mestiços são seres naturalmente ambivalentes, eu queria simplesmente dizer que estes receberam geneticamente uma metade do seu patrimônio genético do pai ou mãe negro(a) e a outra do pai ou mãe branco(a). Foi nesse sentido que os considerei ambivalentes. Mas, curiosamente, Demétrio me critica por ter usado o termo *ambivalente*, que ele associa à monstruosidade ou aos "monstros tristonhos".

Na lógica enviesada de Demétrio, quem defende as cotas para negros quer transformar o Brasil numa sociedade de classificação bipolar branco *versus* negro, que teria como consequência a segregação dos mestiços no Brasil. Foi nessa direção que ele levou ao extremo a acusação a mim dirigida quando me considera um dos **"ícones do projeto da racialização oficial do Brasil" e me acusa de fazer parte do plano de supressão dos mestiços no país.** Acho que Demétrio Magnoli atribui a mim poderes mágicos que jamais terei, ou melhor, que ninguém teria, de transformar as leis da genética humana, suprimindo os indivíduos mestiços. A pureza é um mito, e ambos o sabemos, ele e eu. Outro detalhe relevante nessa crítica é o fato de Demétrio substituir minha linguagem substantivada por sua linguagem adjetivada. Onde eu coloco *sangue do "negro"* e *sangue do "branco"*, ele coloca *sangue negro* e *sangue branco*, o que não é a mesma coisa, pois o sangue do negro não tem cor negra, e o do branco não tem cor branca. Onde eu coloco *cromossomos dos pais negros* e *cromossomos dos pais brancos*, ele coloca *cromossomos raciais*, o que não é a mesma coisa, pois as raças não existem biologicamente.

Parece tratar-se de uma deturpação conscientemente acusatória, por falta de argumentos objetivos resistentes contra as cotas ditas raciais. Pois seria preciso introduzir as raças para ter argumentos contra as cotas para negros, que ele acusa de cotas raciais em oposição às cotas sociais. O que é uma falsa oposição, pois, como já foi dito, todos os problemas da sociedade são sociais, mas como o social é complexo e diverso, as políticas sociais têm de ser específicas e focadas, não genéricas. É preciso nomear os beneficiados para não deixar margem à indefinição. Nomeá-los pela

---

[219] MAGNOLI, Demétrio. *Op. cit.*, p. 380-381.

cor da pele não significa transformá-los em raças estanques, como fez a ciência das raças.

Na categoria cotas sociais, temos vagas para estudantes negros(as), para estudantes indígenas e para estudantes brancos(as) oriundos(as) das escolas públicas, considerando a renda média familiar. Portanto, são todas cotas sociais, discriminadas por razões que ratificaram a constitucionalidade das cotas para negros e indígenas e desembocaram na Lei 12.711/12, que instituiu cotas em todas as universidades federais do país.

Em seu texto "O Brasil não é bicolor",[220] publicado no livro *Divisões perigosas – políticas raciais no Brasil contemporâneo*, Carlos Lessa advoga que pardos e pretos constituem a população numericamente mais pobre do país, porque gerações de pardos e pretos nasceram na pobreza pelo simples fato de que quem nasce pobre tem mais chance de continuar a ser pobre. O autor conclui que essa pobreza da qual pardos e pretos são vítimas nada tem a ver com o racismo e que, ao transformar o Brasil num país bicolor por causa das cotas, naturalizaria-se o conceito subversivo de raça, que é ideologicamente negativo.

Certo, a pobreza não resulta necessária e absolutamente do racismo. No entanto, me parece que observar que o racismo e o sexismo constituem fatores que, junto com a má redistribuição da renda nacional e das riquezas do país, contribuem para a formação das desigualdades sociais no país, constitui-se uma novidade para Carlos Lessa. Mais do que isso, o racismo no século XXI não depende mais do conceito biológico de raça, mas sim de outras essencializações políticas, culturais e históricas. É como se bastasse dizer que a raça não existe cientificamente para que o racismo desapareça automaticamente, como fumaça.

As palavras *negro, branco, mestiço* e *indígena* não são sinônimos de *raça*. Ainda assim, elas representam indivíduos e populações com traços somáticos diferentes. Não vamos negar que essas diferenças somáticas existem e que, mesmo sem usarmos a palavra *raça*, jamais deixarão de servir de motivos de discriminação na cabeça dos indivíduos que receberam uma educação racista.

Por seu lado, Sérgio Danilo Pena, no texto seu intitulado "Ciências, bruxas e raças"[221] publicado na coletânea já aqui referida, parte da certeza

---

[220] FRY, Peter. *et al.* (Orgs.). *Op. cit.*, p. 121-131.
[221] FRY, Peter. *et al.* (Orgs.). *Op. cit.*, p. 43-47.

incontestável de que a raça não existe cientificamente. Nada contra. No entanto, ele acredita que se o Congresso Brasileiro cometer a imprudência de aprovar o Estatuto da Igualdade Racial, este forçará os cidadãos brasileiros a assumirem uma identidade principal baseada na cor da pele. Uma reflexão ideologicamente forjada, porque o objetivo do Estatuto da Igualdade Racial é a defesa da igualdade entre brancos e negros, ameaçada pelos preconceitos e pelas práticas racistas que fazem parte do cotidiano e da estrutura social brasileira.

A palavra raça tem de ser entendida como ele mesmo concorda: no sentido de sua construção sociológica, e não mais no sentido biológico. Mais do que isso, a existência do racismo no século XXI não depende mais da persistência da raça. Em alguns países da Europa, como é o caso da Alemanha e da França, é politicamente incorreto o uso da palavra *raça* por causa das feridas históricas causadas por ela na história da humanidade. No entanto, o racismo ainda corre solto naqueles países.

Há muito tempo que o movimento negro brasileiro vem construindo a identidade coletiva negra na luta contra o racismo, identidade esta que incluiria pretos e pardos. Tal identidade passa pela cor da pele por razão histórica, não biológica. Agora, afirmar que o Estatuto da Igualdade Racial vai obrigar os cidadãos brasileiros a se identificarem pela cor da pele é ignorar a luta do Movimento Social Negro, que vem antes desse Estatuto. Para alguns estudiosos e intelectuais brasileiros, parece que tudo começa com as políticas afirmativas, que são resultantes de uma longa luta de gerações do Movimento Negro.

Em seu livro *Não somos racistas: uma reação aos que querem nos transformar numa nação bicolor*,[222] Ali Kamel é claramente contra as políticas de cotas, nas universidades públicas. Ele se baseia nos seguintes argumentos: as cotas, ao beneficiarem negros, anulam a existência dos pardos, que, segundo as estatísticas, são numericamente superiores aos chamados negros. A sociedade brasileira, que é multicolor, é transformada em uma sociedade bicolor composta de brancos e não-brancos, sendo todos os não-brancos de várias cores reduzidos a uma única cor: a cor negra. Ele faz uso do argumento já conhecido de que as raças não existem cientificamente.

---

[222] KAMEL, Ali. *Não somos racistas: uma reação aos que querem nos transformar numa nação bicolcor*. Rio de Janeiro: Editora Nova Fronteira, 2006.

Ao dividir os brasileiros em brancos e negros, essa divisão vai, segundo Kamel, trazer à tona o racismo que segundo ele não existiria na sociedade brasileira, comparativamente aos Estados Unidos e à África do Sul. Para ele, as maiores vítimas das políticas de cotas são os pardos e os brancos. Estranho esse pensamento de afirmar que o Brasil não é um país racista, indo na contramão das pesquisas científicas de qualidade já realizadas no país e contra o fato de que o Brasil, ao voltar da Conferência Mundial organizada pela ONU em Durban, África do Sul, em 2001, contra o racismo, a discriminação racial, a xenofobia e a intolerância correlata assumiu seu racismo *sui generis*.

É interessante observar que, quando Ali Kamel estava escrevendo esse livro, os pardos e os brancos, ao mesmo tempo que os pretos e os indígenas, já estavam sendo beneficiados pelas cotas, e não excluídos, como ele afirma. Ele se baseou em que fatos para tirar suas conclusões escatológicas? Certamente, em suas fabulações ou criações imaginativas e não sobre fatos concretos e observáveis e resultados de pesquisas científicas.

Sugiro que a ideia de que o que está por trás desse discurso não é a defesa dos pardos, que coletivamente não levantaram a voz, mas sim a postura contra cotas, que encontrou o "bode expiatório" no pardo. Se fizermos uma fotografia de estudantes cotistas em todas as universidades públicas que adotaram políticas de cotas antes ou depois da Lei 12.711/12, nós vamos ver nela pretos, pardos, brancos e alguns raros indígenas.

No seu livro *A persistência da raça: ensaios antropológicos sobre o Brasil e a África austral*, Peter Fry, em sua postura crítica contra as políticas afirmativas, afirma que:

> As medidas pós-Durban, propondo ações afirmativas em prol da "população negra", rompem não só com o a-racismo e anti-racismo tradicionais, mas também com a forte ideologia que define o Brasil como país de mistura ou, como preferia Gilberto Freyre, do hibridismo. Ações afirmativas implicam, evidentemente, imaginar o Brasil composto não de infinita mistura, mas de grupos estanques: os que têm e os que não têm direitos à ação afirmativa, no caso em questão, "negros" e "brancos".[223]

---

[223] FRY, Peter. *A persistência da raça: ensaios antropológicos sobre o Brasil e a África austral.* Rio de Janeiro: Civilização Brasileira, 2005, p. 304.

Pergunto-me porque alguns estudiosos não tiveram a coragem de dizer claramente que estão contra as cotas para negros por sua postura político-ideológica, em vez de recorrer a argumentos-álibi. O objetivo das políticas afirmativas nunca foi, e não é, destruir a mistura brasileira como se fosse possível impedir assim que brancos e negros deixassem de ter relações de intercursos sexuais. Os beneficiados deveriam ser nomeados, e essa nomeação passaria pela definição da cor de sua pele, que os torna vítimas de preconceitos e práticas racistas. O que isso tem a ver com a interrupção das misturas raciais, que é um dado da história da humanidade e que acontece onde historicamente houve encontros entre grupos? Mesmo onde houve leis impedindo os intercursos sexuais entre brancos e negros, como no Sul dos Estados Unidos e na África do Sul durante o regime do *apartheid,* houve mistura de "raças". Imaginar interromper esse processo no Brasil por causa das cotas para negros é um argumento-álibi insustentável para as pessoas que pensam.

O autor forja uma realidade que não existiu praticamente, pois pretos, pardos, brancos e indígenas foram contemplados pelas cotas. O conceito de negro é uma construção política que inclui pretos e pardos e, consequentemente, os pardos não foram fisicamente excluídos pelas cotas. Percebe-se, ao interpretar o autor, que os princípios a-racistas e antirracistas embutidos no mito de democracia racial são ameaçados pelas políticas afirmativas. Se o fossem, acho algo muito positivo na luta real contra o racismo brasileiro, e não algo a defender como se fossem leis sagradas.

Antônio Risério, no seu livro *A utopia brasileira e os movimentos negros,*[224] argumenta que a palavra *mestiçagem* no Brasil caiu em desgraça no meio de alguns ideólogos racialistas (estudantes universitários, jovens militantes negros mestiços, professores). Não sei o que Risério entende por ideólogos racialistas, porque eu não me considero racialista e não vejo nenhum racialista entre os colegas brasileiros que atuam na área de pesquisa chamada Relações Raciais.

Racialistas são aqueles pseudocientistas europeus que, entre os séculos XIX e XX, teorizaram sobre a existência das raças hierarquizadas

---

[224] RISÉRIO, Antônio. *A utopia brasileira e os movimentos negros.* 2. ed. São Paulo: Editora 34, 2007.

em superiores e inferiores, dando origem ao racismo científico. Gostaria de saber sua definição de racialista, na qual inclui a maioria dos colegas brasileiros, brancos e negros, sobretudo negros. Continua o autor alegando que, nesse meio, a mestiçagem é encarada como um projeto de classe branca dominante para extinguir a população negra por meio do branqueamento. Certo, houve essa proposta de branqueamento da população brasileira pela miscigenação, como demonstrado por uma farta documentação proveniente de muitos estudiosos brasileiros de prestígio intelectual e do grande ativista e intelectual negro Abdias do Nascimento, notadamente no seu livro *O genocídio do negro brasileiro*.[225]

A questão da defesa das cotas para Negros é para que pudessem ter acesso à universidade brasileira onde são sub-representados numérica e demograficamente não visa à supressão física ou social da mestiçagem como pensa Antônio Risério. Ele é claramente contra as políticas afirmativas que considera como um novo tipo de meritocracia.[226] A questão é saber o que ele entende por meritocracia. Pois bem! A meritocracia é derivada resumidamente da leitura política da obra de Charles Darwin. Essa leitura política chamada Darwinismo Social estipula que, na luta pela vida ou na competição pela vida, são os melhores que ganham.

Surge então uma segunda questão: quem são os melhores e como defini-los? De qualquer maneira, os defensores das cotas nunca disseram que os negros são melhores que os brancos, invertendo assim o pensamento racialista da superioridade intelectual dos brancos em relação aos negros. Defendemos simplesmente a igualdade de oportunidades para o acesso dos negros e indígenas às universidades brasileiras. A estratégia defendida é a de que, considerando-se que os mestiços são ao mesmo tempo afrodescendentes e eurodescendentes, estes deveriam se unir aos pretos, de acordo com o princípio "a união faz a força", para lutar contra o inimigo comum que os vitimiza, o racismo *sui generis* brasileiro, ancorado no mito de democracia racial.

Por isso, nessa luta comum, ambos poderiam assumir uma única identidade política mobilizadora que passaria pela ideia ou categoria de afro-

---

[225] NASCIMENTO, Abdias. *Op. cit.*
[226] *Ibidem.* p. 39.

descendente ou de negro, inspirado do Black americano que reúne negros e mestiços na mesma categoria social de acordo com a regra de uma única gota de sangue (*one-drop rule*). Claro que se trata de um projeto político-ideológico sujeito à crítica que Risério está fazendo em seu texto e que tantos outros intelectuais anticotistas fizeram. O pluralismo do pensamento nas questões e problemas da sociedade é saudável e desejável, à condição que não reduza e minimize o pensamento dos que pensam diferentes, sobretudo quando esses são negros. O que seria uma forma de racismo não declarado.

Embora seja saudável o pluralismo do pensamento, coloca-se sempre a questão de saber de que lado nos colocamos ideologicamente: do lado dos interesses e bem-estar social da maioria da população alvo de nossas pesquisas, ou do lado da classe dominante na manutenção do *status quo*? Dizer que os defensores das cotas querem suprimir a mestiçagem e transformar a classificação racial plural em bipolarismo americano "Black and White", consequentemente, transformar o Brasil multicolor nas duas raças estanques "branca" e "negra" me parece uma falsificação do pensamento dos defensores das cotas. Esses defensores, pelo menos nos meios acadêmicos e intelectuais, não são ignorantes e sabem tão bem quanto os outros que biológica e cientificamente as raças não existem de acordo com a evolução do pensamento dos biólogos e antropólogos físicos que teorizaram e construíram estudos sobre a existência biológica das raças.

Afirmar que, ao defendermos as cotas para negros e indígenas, estamos acreditando na existência biológica das raças é uma falsa acusação e uma redução de nossa capacidade intelectual. É uma forma de racismo não dito. De acordo com essa acusação, eles nos rotulam de intelectuais racialistas como se estivéssemos recorrendo, ainda no século XXI, à existência das raças teorizadas no racismo científico ou racialismo. Não sei o que eles entendem por racialismo para nos rotular e qualificar de racialistas? O racialismo, volto a repetir, é filhote ideológico da ciência das raças, que nasceu na modernidade ocidental a partir da filosofia das luzes, entre a segunda metade do século XVIII e o fim da primeira metade do século XX. Na tentativa de explicar a existência da variabilidade biológica humana, esses cientistas (filósofos das luzes, naturalistas etc.) classificaram essa variabilidade em categorias biológicas estanques que batizaram de *raças*, termo emprestado da Botânica e da Zoologia que já era usado para classificar as espécies vegetais e animais. As classificações, as tipologias e os conceitos, o sabemos, são ferramentas que todos os cientistas usam para operacionalizar suas análises e a explicação dos fenômenos estudados. No entanto, não esqueçamos que elas são permeadas pelas ideologias, filosofias e visões do mundo e do universo. Ou seja, não são cientificamente neutras.

No fim da primeira metade do século XX e início da segunda metade do mesmo século, os cientistas da área de Biologia, graças aos progressos realizados na Biologia molecular e na Bioquímica, chegaram à conclusão de que biológica e cientificamente as raças humanas não existem. Não seria a primeira vez que classificações outrora consideradas como científicas são abandonadas na história das ciências. Mas, no caso que nos concerne, antes de abandonar suas classificações esses cientistas já haviam começado a fazer uma relação intrínseca entre as diferenças biológicas (cor da pele, dos olhos, dos cabelos e outras características morfológicas) e as qualidades intelectuais, morais, psicológicas, estéticas, culturais etc. entre as chamadas raças.

Em outros termos, esses estudiosos fizeram uma classificação hierarquizante entre as chamadas raças em superiores e inferiores. Nessa classificação hierarquizante, a chamada raça branca ocupou o topo da escala e a chamada raça negra ocupou a posição inferior da escala. Daí o determinismo biológico que pavimentou o caminho do racismo científico. Por isso, esses cientistas foram chamados de racialistas ou racistas científicos, pois sua ciência era atravessada pela doutrina e crença em superioridade e inferioridade racial. Este é o fundamento do racialismo ou racismo científico que nada tem a ver com a postura dos intelectuais negros e brancos que defendem as políticas afirmativas e as cotas no Brasil. Acho que Antônio Risério ultrapassou a dose de sua falsificação ideológica ao denominar de racialistas os intelectuais negros e brancos num outro texto publicado no caderno da *Folha de S.Paulo*, no qual acusa os movimentos negros de repetirem a lógica do racismo científico.[227] Ali, ele chama de delirantes ativistas e intelectuais negras e negros e me faz o elogio(?) de ser menos delirante! Finíssimo inte-

---

[227] RISÉRIO, Antônio. Movimentos negros repetem lógica do racismo científico, diz antropólogo. *Folha de S.Paulo*, São Paulo, 16 dez. 2017. Ilustríssima. Disponível em:

lectual até em sua maneira de tratar os intelectuais negros que pensam diferente dele. Não devemos deixar de ser educados para mostrar que somos grandes intelectuais e antropólogos brasileiros. Na leitura crítica que faz deste livro,[228] ele critica minhas reflexões ao afirmar que eu julgo que "os mestiços não se identificam como negros, não contribuem para forjar uma identidade negra coletiva politicamente mobilizadora, pela simples razão de que 'todos sonham ingressar um dia na identidade branca que consideram superior'.[229] Apesar de afirmar que a ideologia do branqueamento contribui, não apenas no Brasil mas também nos países africanos, para alienar negros e mestiços em busca da salvação por meio do branqueamento, tanto do seu corpo como de sua cultura. Como muito bem colocado no *Pele negra, máscaras brancas,* de Frantz Fanon, não devemos cair nas generalizações, pois houve fortes resistências a essa alienação, como comprovado pelos movimentos pan-africano e de negritude.[230]

Neste sentido, concordo parcialmente com a crítica de Risério, pois nem todos os mestiços brasileiros querem ser brancos ou negros. Houve até um movimento em busca da construção da identidade parda que não teve sucesso, parece-me. Mas a ideia que defendo e assumo ideologicamente é a de que o ideal do branqueamento, que muitos negros e mestiços (digo muitos e não todos) acreditavam ser salvador, teria impedido muitos mestiços de se unirem a negros para construir uma identidade política mobilizadora na luta contra as práticas de discriminação racial das quais ambos são vítimas. A menos que Risério me comprove que os mestiços – que ele chama de mulatos, termo pejorativo que muitos mestiços recusam – nunca são vítimas de racismo no Brasil.

Ele pode não concordar com o conceito de negro como construção política incluindo pretos e pardos ou com o termo "afrodescendente", pelo fato dos mestiços serem também eurodescendentes. Mas, afirmar que os

---

<https://www1.folha.uol.com.br/ilustrissima/2017/12/1943569-movimentos-negros-repetem-logica-do-racismo-cientifico-diz-antropologo.shtml>.

[228] *Ibidem.* p. 49-57.

[229] *Ibidem.* p. 50.

[230] FANON, Frantz. *Pele negra, máscaras brancas.* Salvador: Editora EDUFBA, 2008.

defensores das políticas afirmativas, que ele chama de racialistas, querem suprimir os mestiços, que são incluídos politicamente tanto no termo negro como no afrodescendente, tem a ver com um bloqueio ideológico dele para entender as propostas ideológicas dos intelectuais que defendem as cotas. Diante de nossas diferenças ideológicas, nossas divergências de pensamentos serão intermináveis, creio eu.

A questão fundamental que se coloca no Brasil do século XXI e em todos os países do mundo que convivem ainda com as práticas racistas não é mais a raça, que cientificamente foi enterrada, mas sim o racismo, que se mantém e se reformula através de outras essencializações e não mais pela noção biológica de raça. Deslocar o eixo da questão central, que é o racismo que faz vítimas e engendra as desigualdades, para a questão da volta das raças, como se essas tivessem sumido do imaginário dos racistas e de suas vítimas, é uma estratégia enganadora contra as políticas afirmativas.

Mestiçagem e fraudes das vagas para cotistas

Não se criam leis que institucionalizam políticas de inclusão de alguns segmentos da sociedade sem prever mecanismos de monitoramento e de controle que garantam seu pleno funcionamento e evitem eventuais desvios, como as fraudes, dos objetivos fundamentais. Conscientes desta possibilidade, as universidades públicas que implementaram sistemas de cotas, bem antes da Lei Federal 12.711/12, tomaram algumas precauções para garantir o funcionamento do sistema e evitar desvios. Essas universidades criaram comissões mistas compostas por membros do seu corpo docente e discente, por técnicos e funcionários e por membros da sociedade civil, para justamente acompanhar o ingresso dos estudantes cotistas, evitando fraudes.

Essas comissões foram objeto de injustas críticas de alguns membros da comunidade acadêmica e da grande imprensa, que as acusaram de "tribunais raciais", que, ao invés de lutar contra as práticas racistas, estariam introduzindo um racismo às avessas. A expressão "tribunais raciais" nos remete certamente a tristes memórias na história da humanidade ao nos lembrar os tribunais de inquisição na Península Ibérica e os tribunais instalados no regime nazista em Nuremberg, que levaram milhões de seres humanos às câmaras de gás. Comparar uma comissão mista de seis a doze pessoas negras, brancas ou mestiças a um tribunal racial de inquisição ou a um tribunal nazista é demasiadamente forjado, mas a força da grande imprensa, formadora de opinião no meio das grandes massas, passava a crença de que essas comissões estariam trazendo para o Brasil um mal e um problema que não existiam antes, graças ao mito de democracia racial brasileira.

E quais foram os critérios de controle introduzidos por essas comissões que provocam críticas e polêmicas intermináveis até hoje no Brasil?

A Universidade Estadual do Rio de Janeiro (UERJ), a primeira do país a adotar sistema de cotas, estabeleceu um único critério de acesso às reservas de vagas para negros: a autodeclaração. Esta era baseada na escolha de uma das cinco categorias de identificação "racial" ou étnica estabelecidas pelo Instituto Brasileiro de Geografia e Economia (IBGE), a saber: branco, preto, amarelo, indígena e pardo. Em outros termos, os candidatos e as candidatas às vagas reservadas, às cotas, deveriam, no ato da inscrição, declarar seu pertencimento a uma dessas cinco categorias, o que constitui autodeclaração ou autoidentificação. O princípio seria louvável em regimes nos quais a cidadania funciona plenamente, o que não é o caso nos países em construção democrática, nos quais as fraudes podem ocorrer até em algumas das maiores instâncias do país, inclusive nos meios judiciários. Aliás, os episódios das fraudes nas eleições até nos países ditos de plena democracia, como os Estados Unidos, são conhecidos de todos. As *fake news* não foram inventadas nos países africanos ou na América dita latina.

Assim, algumas categorias de autodeclaração passíveis de manipulações oportunistas, tais como negro e afrodescendente, foram evitadas. Do ponto de vista do movimento negro brasileiro, a categoria negra é uma construção política que inclui pretos e mestiços, como no exemplo dos Estados Unidos, e, portanto, sujeita à manipulação. A categoria afrodescendente também poderia ser manipulada partindo da ideia de que a África é o berço da humanidade e que, consequentemente, todos os seres humanos são afrodescendentes. Para evitar essas manipulações, as categorias do IBGE que dividem negros entre pretos e pardos foram consideradas como as menos manipuláveis. Os pretos e os pardos indisfarçáveis não criariam problema com sua identificação.

No entanto, os chamados pardos de pele mais clara, que, no modelo de classificação racial brasileira baseada na marca ou no fenótipo e não na origem, como nos Estados Unidos (*one-drop rule*), poderiam ser considerados ou se considerarem brancos. Os brancos de fenótipo caucasiano começaram oportunamente a se fazer passar por pardos em suas autoidentificações para serem beneficiados pelas políticas de cotas. Aqui está a origem da fraude, justamente na manipulação da categoria parda. O que fazer? Fechar os olhos ou averiguar para não deixar entrar esses oportunistas, para evitar o desvio das vagas destinadas aos pretos e pardos de verdade?

Uma nova polêmica se instalou em torno da fraude entre os que defendiam as comissões de controle contra fraude e os que defendiam uma simples autodeclaração. Resumidamente, as pessoas que defenderam e defendem cotas aceitaram a criação das comissões de controle para evitar fraudes, e as pessoas que estão ou estavam contra as cotas se posicionaram desfavoráveis a elas às quais qualificaram de "tribunais raciais".

O princípio, ou melhor, o critério de controle defendido é aquele que combina a autodeclaração com a heterodeclaração. Quando a autodeclaração confere com a iconografia da pessoa, graças a uma fotografia colorida incontestável onde aparece a cor da pele e outros traços morfológicos que remetem à negritude, o candidato ou a candidata não é barrado(a) pela Comissão. Mas quando há um desencontro entre a autodeclaração e o fenótipo de um candidato que se autoidentifica como pardo, mas que tem um fenótipo claramente caucasiano, a autodeclaração teria de ser contestada pela Comissão, que exigiria do candidato a apresentação de documentos complementares, inclusive de testemunhos que pudessem comprovar a sua ascendência africana. Esse candidato não pode ser simplesmente barrado sem averiguação, porque as leis da genética comprovam que algumas pessoas mestiças podem apresentar um fenótipo dominante branco. Mas, aqui, coloca-se uma questão moral e não legítima ou legal, na medida em que esse indivíduo mestiço de pele mais clara e traços morfológicos caucasianos nunca se assumiu como pardo em sua vida inteira, e agora, por puro oportunismo, ele assume uma identidade que nunca carregou em sua vida. Temos um problema! Portanto, as comissões (necessárias) de posse de critérios amplamente discutidos, aprovados e divulgados, têm o papel de analisar as situações específicas na tentativa de evitar fraudes.

A mestiçagem ocupa uma posição-chave no universo racial brasileiro desde que o país começou a se debruçar sobre o processo de sua identidade nacional paralelamente ao discurso do Movimento Social Negro, que também quer incluir os mestiços em sua identidade. Esse discurso reaparece com muita força no debate sobre as políticas afirmativas. Seu uso, tanto do ponto de vista da ideologia dominante como pelo do Movimento Social Negro é político e ideológico. Não surpreende que os estudiosos e as estudiosas das realidades da população negra no Brasil não escaparam a esse uso, o que mostra que a neutralidade científica, sobretudo nos estudos dos problemas e questões da sociedade, é, como disse Paul Ricoeur, um engodo.

Mestiçagem e colorismo

Na classificação racial estadunidense, conhecida como bipolar, várias nuanças de tons de pele que resultam da mestiçagem foram drenadas no grupo negro pela regra de hipodescendência, que estipula que basta você ter uma única gota de sangue "africano" para ser classificado(a) no grupo ou "raça" negra. Ou seja, as 99 gotas de sangue "europeu" restantes não lhe daria o direito de ser considerado(a) como branco(a). Neste sentido, uma pessoa geneticamente mestiça, mas fenotipicamente branca, pode ser considerada ou se considerar como negra se for descoberto que ela tem algum(a) ascendente negro(a) em sua genealogia. Pelas informações não confirmadas pela pesquisa ao meu alcance, soube que alguns homens negros americanos, os africanos americanos – como se identificam politicamente hoje –, preferem se casar com mulheres negras de pele mais clara. Isso nos levaria a especular que o colorismo racial americano, reduzido apenas às duas cores da pele (Black and White) teria alguns efeitos no seio dos portadores da cor "oficial" negra. Isso teria alguma relação com a alienação do corpo negro, bem ilustrada pelas práticas de alisamento do cabelo e o uso de cremes para clarear a pele, que podem ser observadas hoje tanto nos países africanos como nos países de sua diáspora.[231]

No caso do Brasil, apesar dos esforços da militância negra, através do Movimento Negro, para construir uma única identidade dos descen-

---

[231] Ver a respeito em: X, Malcolm; HALEY, Alex. *Autobiografia de Malcolm X*. Tradução de A. B. Pinheiro de Lemos. Rio de Janeiro: Editora Record, 1992, p. 60-63.

dentes de africanos (que incluiria pretos e mestiços numa única categoria afrodescendente ou negra, o que foi objeto de críticas nos debates sobre cotas), a classificação racial popular é cromática, isto é, de várias cores intermediárias entre a cor preta e a branca. Com efeito, uma pesquisa realizada por Clóvis Moura depois do senso de 1980 revela que os brasileiros e as brasileiras não brancos(as), ao responderem à pergunta "qual é a cor de sua pele", identificaram-se por meio de 136 cores. Esse total de cores, de acordo com a interpretação do autor, significaria que brasileiros(as) não brancos(as), negros(as) e mestiços(as) fogem de sua identidade corporal e procuram, mediante os simbolismos das cores, aproximarem-se, o máximo possível, da cor mais clara, isto é, a branca, acreditando que a branquitude como patrimônio social lhes ofereceria algumas regalias que a negritude lhes nega.[232]

Essa mais de uma centena de cores se encaixa na ideologia do branqueamento, apesar dos(as) depoentes terem consciência de que não seriam considerados como brancos(as). Mas, ao se situar na zona intermediária entre os mais claros, ou seja, os brancos, e os mais escuros, ou seja, os pretos, eles poderiam, dependendo do contexto, ter algum privilégio sobre os mais escuros. Temos aqui um exemplo nítido do colorismo, que não existiria sem a mestiçagem e funcionaria como uma ideologia atuando entre as próprias vítimas do racismo na sociedade brasileira. Situações em que os pretos já discriminaram os mestiços e vice-versa já foram vividas em alguns contextos, embora não tenham sido objeto de pesquisa empírica sistemática. O colorismo pode criar algumas situações dramáticas ou de desconforto para os indivíduos mestiços que politicamente foram construídos como negros e negras na educação recebida em seus lares, ou que se construíram politicamente como negros e negras por suas participações e atuações em entidades e organizações do Movimento Negro. Num contexto de competição, indivíduos mestiços ou negros podem ser preteridos para ocupar cargos ou posições cobiçadas por uns e outros. Muito recentemente, em 2018, vivemos o episódio da cantora Fabiana Cozza, que podemos utilizar para exemplificar o colorismo. Ao ser convidada para representar a saudosa diva negra Dona Ivone Lara, cujas músicas faziam parte do repertorio de Fabiana, ela recebeu críticas

---

[232] MOURA, Clóvis. *Sociologia do negro brasileiro*. São Paulo: Ática, 1988, p. 64.

de rejeição, vindas de algumas pessoas ou entidades negras, alegando que ela não tinha legitimidade corporal, pelo fato de ser mestiça, para assumir o papel de representar Dona Ivone Lara.

Em situações de competição acirrada, o colorismo pode entrar em jogo, sobretudo quando a construção da identidade negra, que incluiria pretos e pardos, não é seguramente consolidada para evitar esse tipo de discriminação intragrupo. Ao ver sua identidade negra contestada pelo fato dela ser mestiça, filha de pai negro e de mãe branca, Fabiana Cozza abriu mão do convite. Houve certamente críticas em sua defesa nesse episódio que criou um mal-estar na consciência da militância negra que luta para construir uma única identidade que inclua pardos e pretos na busca da união para lutar contra o inimigo comum: o racismo à brasileira.

Lia Vainer Schucman, no seu livro *Entre o encardido, o branco e o branquíssimo: hierarquia e poder na cidade de São Paulo*,[233] explora exaustivamente num dos capítulos, "Fronteiras e hierarquias internas da branquitude", a hierarquização que existe no conjunto das pessoas, homens e mulheres, que teoricamente pertenceriam à consciência da branquitude. Essas pessoas não formam um bloco único apesar de terem pele clara e algumas características somáticas que, no modelo do racismo à brasileira, as colocariam na categoria social branca. De acordo com os tons da pele que vão das peles mais claras e dos olhos mais claros, azuis ou castanhos, alguns beirando aos cabelos crespos, elas se discriminam discretamente entre elas, apesar da consciência das vantagens que a branquitude que elas compartilham lhes oferece e que são negadas aos pretos e mestiços em geral. Se dizem todos e todas brancos e brancas de acordo com nosso modelo de racismo brasileiro baseado na marca ou no fenótipo, e não na origem, como nos Estados Unidos. Porém, dependendo do grau de branquitude que os caracterizam, brancos propriamente ditos que confirmam sua ascendência europeia, brancos brasileiros que teriam sofrido alguma mestiçagem com negros e indígenas embora apresentem um fenótipo europeu, os chamados morenos, sararás, entre outros, eles/elas participam desigualmente da distribuição das vantagens e privilégios

---

[233] SCHUCMAN, Lia Vainer. *Entre o encardido, o branco e o branquíssimo: hierarquia e poder na cidade de São Paulo*. São Paulo: Annablume Editora, 2014.

que a brancura lhes oferece na sociedade. Alguns recebem mais e outros menos, de acordo com a intensidade da brancura ou da variabilidade de tons da cor branca e de outras características morfológicas que acompanham a cor.[234] Isso mostra que o colorismo, enquanto espécie de ideologia que distribui as vantagens de acordo com a cor da pele, existe também entre os participantes da branquitude, como existe entre os participantes da negritude.

Não acredito que o colorismo entre brancos brasileiros destrói a consciência da branquitude coletivamente dominante; porém ele prejudica a união entre pretos e mestiços e enfraquece o processo de construção de sua identidade coletiva. Muitos(as) jovens mestiços(as) politizados(as) assumem abertamente a identidade negra e a negritude e se constroem política e socialmente como negros e negras. De repente, alguns(as) se deparam com o colorismo intragrupo que lhes nega as vantagens que conquistaram em sua luta coletiva porque não são negros retintos. Não vamos transformar a exceção em regra, e nesse sentido o episódio de Fabiana Cossa foi uma lamentável exceção.

Se observarmos atentamente para vermos como fica a representatividade dos mestiços nos diferentes setores da vida nacional, que implica comando e responsabilidade atrelados a uma educação superior ou técnica de grande qualidade, nos altos escalões do empresariado brasileiro, percebemos que os mestiços não estão junto com os brancos que os reivindicam em seu discurso identitário. Estão, sim, junto com os negros, preteridos e invisibilizados. Basta olhar ao nosso redor no cotidiano e nas instituições onde atuamos para perceber como esses indivíduos são sub-representados. Se alguns ou muitos não enxergam a invisibilidade de ambos, isto é, do negro e do pardo, é porque a naturalizaram. Não que estejamos cegos para não enxergar, surdos para não escutar seus clamores e seus gritos; não que tenhamos perdido o olfato para não sentir o cheiro do seu suor e de sua carne. Consciente do papel da mestiçagem na sociedade brasileira, ela é usada como "bode expiatório" para manter o *status quo* através do discurso segundo o qual a mestiçagem se tornaria grande vítima das políticas afirmativas. Infelizmente, tem pessoas que acreditam nessa falácia ideológica enganadora.

---

[234] *Ibidem*. p. 137-167.

Conclusão

Racismo, mestiçagem *versus* identidade negra

A análise da produção discursiva da elite intelectual brasileira do fim do século XIX ao meado deste deixa claro que se desenvolveu um modelo racista universalista. Ele se caracteriza pela busca de assimilação dos membros dos grupos étnico-raciais diferentes na "raça" e na cultura do segmento étnico dominante da sociedade. Esse modelo supõe a negação absoluta da diferença, ou seja, uma avaliação negativa de qualquer diferença, e sugere no limite um ideal implícito de homogeneidade que deveria se realizar pela miscigenação e pela assimilação cultural. A mestiçagem tanto biológica quanto cultural teria, entre outras consequências, a destruição da identidade racial e étnica dos grupos dominados, ou seja, o etnocídio.

Por isso, a mestiçagem como etapa transitória no processo de branqueamento constitui peça central da ideologia racial brasileira, embora reconheçamos que todos os intercursos sexuais entre brancos e negros não foram sugeridos por essa ideologia. Algumas citações retomadas da obra *Preto no branco*, de Thomas Skidmore, ilustram eloquentemente a ideia de que a população negra no Brasil representava, do ponto de vista da elite "pensante", uma ameaça ao futuro da raça e da civilização brancas no País e que o processo de branqueamento ofereceria o melhor caminho para aplacar essa ameaça sem conflitos:

> Não há perigo [...] de que o problema negro venha a surgir no Brasil. Antes que pudesse surgir seria logo resolvido pelo amor. A miscige-

nação roubou o elemento negro de sua importância numérica, diluindo-o na população branca. Aqui o mulato, a começar da segunda geração, quer ser branco, e o homem branco (com raras exceções)... acolhe-o, estima-o e aceita-o no seu meio. Como nos asseguram os etnógrafos, e como pode ser confirmado à primeira vista, a mistura de raças é facilitada pela prevalência do elemento superior. Por isso mesmo, mais cedo ou mais tarde, ela vai eliminar a raça negra daqui. É obvio que isso já começa a ocorrer. Quando a imigração, que julgo ser a primeira necessidade do Brasil, aumentar, irá, pela inevitável mistura, acelerar o processo de seleção.[235]

Vê-se que, contrariamente à ideologia racial praticada nos Estados Unidos e que procurava assegurar a supremacia racial branca graças ao sistema segregacionista rígido, a elite brasileira, na sua maioria, pensava que a solução mais segura e definitiva só podia ser eugênica. Uma minoria ínfima representada por Alberto Torres, Manuel Bonfim e Roquete Pinto acreditava numa solução por via educacional. O americano Clayton Cooper, no relato de sua viagem ao Brasil em 1917, observou também essa experiência eugênica e comentou:

> Uma honesta tentativa está sendo feita aqui para eliminar os pretos e os pardos pela infusão do sangue branco. Pretende-se que um dos fatores nesse processo seja a seleção natural pela fêmea de um parceiro de cor mais clara do que a sua [...]. Certas partes do Brasil, onde são encontrados comparativamente poucos dos tipos negroides ou de pele escura, são dadas como exemplo do progresso já alcançado nessa façanha audaciosa e sem precedente. Muitos dos brasileiros mais cultos vos dirão que este país revelará um dia ao mundo inteiro o único método existente de interpenetração racial, o único que evitará guerras raciais e derramamento de sangue.[236]

A experiência brasileira, documenta Thomas Skidmore, chegou até o ouvido do ex-presidente dos Estados Unidos, Theodore Roosevelt, que, comentando sua conversa com um membro da elite brasileira, disse:

---

[234] VERÍSSIMO, José. *Jornal do comércio*, 4 de dezembro, 1899, apud SKIDMORE, Thomas. *Op. cit.*, p. 90.

[235] COOPER, Clayton Sedgwick. *The brazilian and their country*. Apud SKIDMORE, Thomas. *Op. cit.*, p. 91.

> A opinião que esposam, tão diversa da nossa, pode ser melhor traduzida pelo que um deles – de sangue branco puro – me disse: Naturalmente, a presença do negro é o verdadeiro problema, e problema muito sério, tanto no seu país como no meu [...]. Mas como o problema permanece... permanece a necessidade de encontrar outra solução (fora da escravidão).
>
> Vocês nos Estados Unidos conservam os negros como um elemento inteiramente separado, e tratam-nos de maneira a influir neles o respeito de si mesmos. Permanecerão como ameaça à sua civilização, ameaça permanente e talvez, depois de mais algum tempo, crescente. Entre nós, a questão tende a desaparecer porque os próprios negros tendem a desaparecer e ser absorvidos... O negro puro diminui de número constantemente. Poderá desaparecer em duas ou três gerações, no que se refere aos traços físicos, morais e mentais. Quando tiver desaparecido, estará seu sangue, como elemento apreciável mas de nenhum modo dominante, em cerca de um terço do nosso povo; os dois terços restantes serão brancos puros. Admitindo que a presença de elemento racial negro represente um leve enfraquecimento de um terço da população, os dois outros terços terão, ao contrário, força integral. E o problema negro terá desaparecido. No seu país foi toda a população branca que guardou a força racial de origem, mas o negro ficou, e aumenta de número, com o sentimento cada vez mais amargo e mais vivo do seu isolamento, de modo que a ameaça que representa será mais grave no futuro. Não tenho por perfeita a nossa solução, mas julgo-a melhor que a sua. Fazemos face, vocês e nós, a alternativas diferentes, cada qual com as suas desvantagens. Penso que a nossa, a longo prazo e do ponto de vista nacional, é menos prejudicial e perigosa que a outra, que vocês nos Estados Unidos escolheram.[237]

A elite brasileira, preocupada com a construção de uma unidade nacional, de uma identidade nacional, via esta ameaçada pela pluralidade étnico-racial. A mestiçagem era para ela uma ponte para o destino final: o branqueamento do povo brasileiro. Mas entre o modelo, a estratégia política montada e a realidade empírica, existe uma certa margem, que não pode ser negligenciada nas considerações socioantropológicas da realidade racial brasileira. Sem dúvida, a infusão do sangue "branco", pelo intenso pro-

---

[236] ROOSEVELT, Theodore. *Brazil and the negro*, p. 410-411. *Apud* SKIDMORE, Thomas. *Op. cit.*, p. 92-93.

cesso imigratório de origem ocidental por um lado, e as baixas nas taxas de fecundidade e de natalidade no meio da população negra acompanhadas de altas taxas de mortalidade por outro lado, ajudaram na diminuição sensível da população negra. Com certeza o processo de mestiçamento no Brasil foi talvez o mais alto e intenso do continente americano nos últimos cinco séculos da nossa história. Não há dúvida de que todas as culturas dos povos que no Brasil se encontraram foram beneficiadas por um processo de empréstimos e de transculturação desde os primórdios da colonização e do regime escravocrata. Mas, a realidade empírica, crua, observada por todos, é a de que o Brasil constitui o país mais colorido do mundo racialmente, isto é, o mais mestiçado do mundo.

O que leva a crer que o projeto de branqueamento, sustentado e experimentado pela elite ideológica e estrategista como solução às mazelas raciais, não surtiu totalmente seus efeitos. Não somente porque ele foi abandonado no meado deste século, mas porque havia também resistências populares às uniões inter-raciais, como comprovado por algumas enquetes sociológicas. Em função dessas resistências, nem todas as mestiças e todos os mestiços teriam a chance de casar com as pessoas mais claras para ter filhos branqueados. Nem todas as negras e negros teriam a chance de encontrar parceiros sexuais mestiços e brancos que lhes dariam filhos mestiços, futuros candidatos ao branqueamento. Creio eu que alguns mestiços e negros, muitos ou poucos (pois, estou especulando por falta de estatísticas), não tiveram outra escolha a não ser o intercurso sexual nos limites do seu grupo étnico.

Apesar dessa diminuição sensível do percentual dos negros e do intenso processo de mestiçamento, fica insustentável, graças às observações empíricas evocadas, a crença no aniquilamento do contingente negro, por um lado, e no branqueamento completo (pelo menos fenotipicamente) de toda a população brasileira, por outro. As lições da genética, tiradas das leis mendelianas e suas implicações nas manifestações dos caracteres hereditários recessivos e dominantes, não autorizam aceitar as projeções ideológicas da elite brasileira de que a diversidade racial, graças às práticas eugenistas, ia ceder lugar a uma nova raça branca, fenotipicamente unitária. O colorido da população desmente as previsões do modelo, pois a população negra, apesar de decrescer relativamente em relação à população branca e mestiça, voltou lentamente a crescer em termo absoluto. Com efeito, as estatísticas mostram, por um lado, o decréscimo vertiginoso da população negra que, em 1827, chegou a representar 72,5% da população total, 63% em 1830, 20% em 1872, 14% em 1890/1940, 11% em 1950 e 5% em 1990. Mas em termo absoluto, o número de negros passou de 1.995.000 em 1872 a 2.098.000 em 1890; de 6.644.000 em 1940 a 5.693.000 em 1950 e a 7.264.000 em 1990.[238] Houve um lento crescimento que desmentiria todas as projeções ideológicas que falaram em desaparecimento da população negra.

Essas cifras deveriam também ser interpretadas com certa reserva, tendo em vista a ideologia racial brasileira que, segundo Oracy Nogueira, considera pertinente não a raça de origem, como nos Estados Unidos da América, mas sim o tipo aparente, ou seja, a cor da pele associada a outras marcas sociais de classe. Sendo assim, nos recenseamentos, os indivíduos são classificados não somente em função de seus fenótipos, mas também e sobretudo em função de sua posição social na sociedade. Em outras palavras, o ideal de ser branco, de pele ou socialmente, exige cautela na leitura das estatísticas populacionais por cor da pele no Brasil.

Como diz Octavio Ianni:

> O *status* econômico, jurídico e moral do cativo determinava uma delimitação consequente [...] Pouco a pouco, todavia, escravo, negro e mulato foram sendo utilizados como expressões sinônimas para significar o que é cativo. Paulatinamente, em consequência, à medida que negros e mulatos eram libertos, carregavam consigo atributos do grupo original. Na cor, na especialização profissional, no universo verbal, no modo de vestir-se, de comportar-se, etc., levavam os atributos socialmente definidos como específicos do ex-escravo.[239]

A demógrafa Elza Berquó observou que, nos últimos 40 anos, houve uma relativa diminuição do número dos brancos e negros e um aumento dos mestiços. A população branca teria aumentado em média 2,10% por ano de 1940 a 1950, 2,94% de 1950 a 1960 e 2,16% de 1960 a 1980. Nas mesmas épocas, os negros diminuíram 0,58% (1940-1950), aumentaram

---

[237] Fonte: IBGE, Conselho Nacional de Estatística (Laboratório de Estatística). *Anuário estatístico do Brasil*, 1993.

[238] IANNI, Octavio. *As metamorfoses do escravo. Apogeu e crise da escravatura no Brasil Meridional*. São Paulo, Difusão Europeia do Livro, 1962, p. 238.

0,84% (1950-1960) e recaíram 0,61% (1960-1980). Comparativamente a essa diminuição relativa de brancos e negros, o número de mestiços cresceu 4,62% entre 1940 e 1950; 4,09% entre 1950 e 1960 e 4,05% entre 1960 e 1980.[240] Observa-se também que se a categoria censitária "parda", na qual se incluem todos os mestiços, de acordo com os censos de 1980 e 1990, representa 39% da população,[241] o número real deveria ser superior a essa percentagem, porque, em função do mesmo ideal do branqueamento, muitos mestiços claros são drenados na categoria censitária "branca", como muitos negros claros são ou podem ser contados na categoria "parda".

Em outros países do mundo, em particular na antiga África do Sul e nos Estados Unidos, desenvolveu-se um modelo de racismo oposto ao do Brasil, o racismo diferencialista. Este racismo, em vez de procurar a assimilação dos "diferentes" pela miscigenação e pela mestiçagem cultural, propôs, ao contrário, a absolutização das diferenças e, no caso extremo, o extermínio físico dos "outros" (por ex. o nazismo). A dinâmica do racismo diferencialista levou ao desenvolvimento de sociedades pluriculturais hierarquizadas, ou seja, sociedades desiguais e antidemocráticas (por ex. o *apartheid* e o sistema *Jim Crow*). Se, por um lado, esse tipo de racismo engendrou o segregacionismo, por outro, sua dinâmica permitiu a construção de identidades raciais e étnicas fortes no campo dos oprimidos desses sistemas.

Os dois modelos de racismo engendraram também dois modelos de antirracismo, cópias negativas dos primeiros, com conteúdo identitário diferente. O antirracismo universalista, oposto ao racismo universalista do qual nasceu, busca a integração na sociedade nacional, baseando-se nos valores universais do respeito à natureza humana, sem discriminação de cor, raça, sexo, cultura, religião, classe social etc. É o chamado integracionismo fundamentado no indivíduo "universal". Consequentemente, esse antirracismo, colocado em benefício da identidade nacional na qual

---

[239] BERQUÓ, Elza. *Demografia da desigualdade. Algumas considerações sobre o negro no Brasil.* Comunicação apresentada na reunião "The demography of inequality in contemporary Latin America", Universidade da Flórida, 21-24 de fevereiro de 1988.

[240] Fonte: IBGE, Conselho Nacional de Estatística (Laboratório de Estatística). *Anuário estatístico do Brasil*, 1993.

deveriam ser integrados os membros dos grupos minorados, contribui na desconstrução da identidade étnica. Por isso, em situação de resistência cultural por parte dos segmentos dominados e inferiorizados, a elite dominante defensora da unidade étnica do país, coerente com sua proposta e por falta de melhores alternativas, recupera inteligentemente os conteúdos dessa resistência nos componentes simbólicos da identidade nacional, tornando-os peças importantes do sincretismo recuperador da unidade não realizada pelo processo de branqueamento.[242] É por isso que a Frente Negra Brasileira, que tentou lutar contra o racismo fazendo apenas uma oposição à discriminação racial dentro da identidade nacional defendida pela ideologia racista universalista, sem referência à identidade do seu grupo de origem, foi considerada como movimento integracionista.

O antirracismo diferencialista, oposto ao racismo diferencialista do qual nasceu, busca a construção de uma sociedade igualitária baseada no respeito das diferenças tidas como valores positivos e como riqueza da humanidade. Ele prega a construção de sociedades plurirraciais e pluriculturais; defende a coexistência no mesmo espaço geopolítico e no mesmo pé de igualdade de direitos, de sociedades e culturas diversas. Sem dúvida, o *apartheid* ofereceu a versão mais degradante e intolerante do pluriculturalismo ao defender a coexistência no mesmo território, em espaços segregados, dos povos e culturas que não deviam se comunicar e se tocar, obrigados a viver separados do berço ao túmulo.

Contrariamente ao uniculturalismo presente no modelo racial brasileiro, o pluriculturalismo do *apartheid* exigia que o Estado mantivesse segregadas as culturas oprimidas em vez de assimilá-las. As comunidades negras foram aprisionadas e confinadas nos chamados bantustões ou *homelands*. Fechando-as dentro dos limites de suas identidades étnicas, que o regime do *apartheid* fez questão de preservar, ficava mais fácil segregá-las e atiçar as rivalidades entre elas, a fim de melhor dominá-las.

Fora do *apartheid*, os movimentos sociais negros e outras chamadas minorias étnicas se mobilizam em favor de um pluriculturalismo mais liberal e democrático, que aceita todas as culturas sem tomar

---

[241] Ver, a esse respeito, uma análise minuciosa de PEREIRA, João Baptista Borges, no seu artigo "A cultura negra: resistência de cultura à cultura de resistência", In: *Dédalo* (23), 1984, p. 177-187.

partido por nenhuma delas. Exigem que o Estado possa intervir no máximo para assegurar a coexistência pacífica de todas, evitando os conflitos. Tanto a corrente "falar politicamente correto", deflagrada pelo movimento negro e outras minorias étnicas dos Estados Unidos, quanto as exigências do reconhecimento e do respeito das diferenças por parte dos movimentos e entidades negros que lutam pela democratização do Brasil, representam versões liberais e democráticas do pluriculturalismo.

O racismo universalista, teoricamente, não se opôs à mestiçagem como também não desenvolveu uma mixofobia. A miscigenação lhe oferecia o caminho para afastar a diferença ameaçadora representada pela presença da "raça" e da cultura negra na sociedade. O racismo diferencialista, teoricamente, se opôs à mestiçagem por ele considerada como apagadora da diferença que confere o *status* de superioridade à "raça" dominante e que legitima a dominação e a exploração.

A elite "pensante" do Brasil foi muito coerente com a ideologia dominante e o racismo vigente ao encaminhar o debate em torno da identidade nacional, cujo elemento de mestiçagem ofereceria teoricamente o caminho. Se a unidade racial procurada não foi alcançada, como demonstra hoje a diversidade cromática, essa elite não deixa de recuperar essa unidade perdida recorrendo novamente à mestiçagem e ao sincretismo cultural. De fato, o que está por trás da expressão popular tantas vezes repetida: "no Brasil todo mundo é mestiço", senão a busca da unidade nacional racial e cultural? Essa busca é ideologicamente recuperada, no meu entender, na obra *O povo brasileiro*, de Darcy Ribeiro.

Uma aproximação final entre a classificação racial nos Estados Unidos e na África do Sul, no regime do *apartheid*, ajudaria bastante a captar as consequências da classificação racial brasileira na indefinição da identidade negra/mestiça numa única identidade mobilizadora. Com efeito, nos Estados Unidos, onde a classificação racial é dualista ou binária, isto é, baseada na polarização negro-branco, os mestiços, como categoria social possuidora de identidade própria, não existem, pois são considerados simplesmente *blacks* pela lei de uma gota de sangue (*one-drop rule*). Embora os norte-americanos tivessem, já no século passado, implantado um sistema racial tripartite com a categoria intermediária de "mulato", atualmente a regra de filiação racial predominante é a hipodescendência, ou seja, a filiação dos indivíduos miscigenados ao grupo considerado inferior.[243] De outro modo, a regra, segundo a qual qualquer traço de ascendência negra torna uma pessoa negra, independentemente de sua fenotipia, é aceita como critério de definição de "negro" nos Estados Unidos, tanto pelos negros quanto pelos brancos.

Na África do Sul (*apartheid*), criou-se um sistema de classificação racial que compreendia as categorias branca ou *european*, negra ou *african* (bantou), e mestiço ou *coloured*. Ali, como nos Estados Unidos, a categoria coloured, que inclui todo o mixed blood, é também baseada na regra *one-drop*, isto é, qualquer sinal ou prova de ascendência negra define a classificação dos portadores na categoria *coloured*. Em vez de serem considerados negros como nos Estados Unidos, os *coloured* constituem uma categoria social apartada como brancos e negros. Vendo por esse ângulo, eles funcionam como uma categoria tampão entre a população classificada como branca e a maioria da população nativa, classificada como negra, *african* ou *bantou*.[244]

No Brasil, a classificação racial dá ao mestiço uma posição e um lugar que nada têm a ver com as classificações norte-americana e sul-africana. Em primeiro lugar, trata-se de uma classificação racial cromática, ou seja, baseada na marca e na cor da pele, e não na origem ou no sangue como nos Estados Unidos e na África do Sul.[245] Dependendo do grau de miscigenação, o mestiço brasileiro pode atravessar a linha ou a fronteira de cor e se reclassificar ou ser reclassificado na categoria "branca". Jamais poderá ser rebaixado ou classificado como negro, salvo raras exceções, devido notadamente à escolha individual por posicionamento ideológico. Seria o caso dos poucos e raros mestiços politicamente mobilizados e que se consideram negros para forjar a solidariedade e a identidade política de todos os oprimidos. É preciso deixar claro que estamos nos posicionando no plano ideológico e co-

---

[242] DAVID, F. James. *Who is Black? One Notion's Definition*. Pensylvania State University Press, 1991. Apud MUNANGA, Kabengele. "Mestiçagem e experiências interculturais no Brasil". In: SCHWARCZ, Lilia Moritz & REIS, Letícia Vidor de Souza (Orgs.). *Negras imagens*. São Paulo, Edusp/Estação Ciência, 1996.

[243] RIBEIRO, Fernando Rosa. *Coloured: O estancamento da mediação racial na África do Sul*. Rio de Janeiro, inédito, 1994, p. 24-25.

[244] NOGUEIRA, Oracy. *Tanto preto quanto branco. Op. cit.*

letivo e não no periférico das relações individuais, pois, neste último, quando a competição é acirrada entre indivíduos mestiços e brancos, conhecemos vários casos em que o Dr. X, mestiço, é simplesmente reduzido à expressão popular de "Neguinho metido".[246]

Contudo, na construção do sistema racial brasileiro, o mestiço é visto como ponte transcendente, onde a tríade branco-índio-negro se encontra e se dissolve em uma categoria comum fundante da nacionalidade.[247] Daí o mito de democracia racial: fomos misturados na origem e, hoje, não somos nem pretos, nem brancos, mas sim um povo miscigenado, um povo mestiço. No sistema classificatório utilizado por cientistas sociais e ideólogos negros, usa-se a polarização preto/branco ou negro/branco, enquanto que na autorrepresentação popular usa-se um sistema relacional baseado no binômio claro/escuro. Esse gradiente claro/escuro, segundo Yvonne Maggie, faz a ponte entre os termos do sistema polar negro/branco, valoriza diferenças por contiguidade e dilui as oposições, por serem relacionados.[248]

> Ser escuro é ser menos e ser claro é ser mais; portanto, há um princípio de valor cultural e, nesse sentido, os escuros são negros e os claros são brancos. Os escuros vieram da África e os brancos da Europa. [...] Mas, ao construir-se esse contínuo gradual de cores, constrói-se, ao mesmo tempo, a oposição de brilho e ausência de brilho, ou seja, no limite os claros são brancos e os escuros são pretos, valorizam-se ou hierarquizam-se os tons, e os claros são melhores.[249]

Seremos brancos no futuro, e não haverá mais diferenças, um só povo, porque desde a origem houve miscigenação. Há pessoas que oralmente interpretam o aumento cada vez mais crescente de mestiços na população brasileira como a realização do ideal do branqueamento, ou seja, do sonho ou da ilusão de "sermos" brancos no futuro.

---

[245] MUNANGA, Kabengele. Mestiçagem e experiências interculturais no Brasil. In: SCHWARCZ, Lilia Moritz & REIS, Letícia Vidor de Souza. *Op. cit.*, p. 186.

[246] DA MATTA, Roberto. Digressão, a fábula das três raças. In: DA MATTA, Roberto. *Relativizando. Uma introdução à antropologia social.* Rio de Janeiro, Zahar, 1987.

[247] MAGGIE, Yvonne. *A ilusão do concreto: Análise do sistema de classificação racial no Brasil.* Tese de titulação, Rio de Janeiro, UFRJ, 1991, p. 79-80.

[248] MAGGIE, Yvonne. *Op. cit.*, p. 81.

O levantamento feito pelo historiador Clóvis Moura, após o censo de 1980, ilustra com eloquência a adesão popular ao mito de democracia racial brasileira e ao ideal do branqueamento sustentados pela mestiçagem. Inquiridos os brasileiros não brancos sobre a sua cor, eles responderam que era:

> Acastanhada, agalegada, alva, alva-escura, alvarente, alva-rosada, alvinha, amarelada, amarela-queimada, amarelo-sa, amorenada, avermelhada, azul, azul-marinho, baiano, bem-branca, bem-clara, bem-morena, branca, branca-avermelhada, branca-melada, branca-morena, branca-pálida, branca-sardenta, branca-suja, branquiça, branquinha, bronze, bronzeada, bugrezinha-escura, burro-quando-foge, cabocla, cabo-verde, café, café-com-leite, canela, canelada, cardão, castanha, castanha-clara, cobre-corada, cor-de-café, cor-de-canela, cor-de-cuica, cor-de-leite, cor-de-ouro, cor-de-rosa, cor-firme, crioula, encerada, enxofrada, esbranquecimento, escurinha, fogoió, galega, galegada, jambo, laranja, lilás, loira, loira-clara, loura, lourinha, malaia, marinheira, marrom, meio-amarela, meio-branca, meio-morena, meio-preta, melada, mestiça, miscigenação, mista, morena-bem-chegada, morena-bronzeada, morena-canelada, morena-castanha, morena-clara, morena-cor-de-canela, morenada, morena-escura, morena-fechada, morenão, morena prata, morena-roxa, morena-ruiva, morena-trigueira, moreninha, mulata, mulatinha, negra, negrota, pálida, paraíba, parda, parda-clara, polaca, pouco-clara, pouco-morena, preta, pretinha, puxa-para-branca, quase-negra, queimada, queimada-de-praia, queimada-de-sol, regular, retinta, rosa, rosada, rosa-queimada, roxa, ruiva, ruço, sapecada, sarará, saraúba, tostada, trigo, trigueira, turva, verde, vermelha, além de outros que não declararam a cor.[250]

O que significa o total de 136 cores levantadas nessa pesquisa? Emprestando os argumentos do próprio autor citado, esse total de cores demonstra como o brasileiro foge de sua realidade étnica, de sua identidade, procurando, mediante simbolismo de fuga, situar-se o mais próximo possível do modelo tido como superior, isto é, branco:

> a identidade étnica do brasileiro é substituída por mitos retificados, usados pelos próprios não brancos e negros especialmente,

---
[249] MOURA, Clóvis. *Sociologia do negro brasileiro*. São Paulo, Ática, 1988, p. 64.

que procuram esquecer e/ou substituir a concreta realidade por uma enganadora magia cromática na qual o dominado se refugia para aproximar-se simbolicamente, o mais possível, dos símbolos criados pelo dominador.[251]

As preocupações de vários autores, aos quais me referi no decorrer deste trabalho para compreender a construção da categoria mestiça na sociedade brasileira, têm algo de antropologia especulativa, asfixiada pelo naturalismo, pelo darwinismo, pelo eugenismo e pela ideologia dominante. Sem dúvida, foi graças ao questionamento desses autores que conseguimos nos colocar na pista histórica da construção da ideologia racial brasileira. Mas não deveríamos esquecer que falamos de "mulher" e de "homem" brasileiros, históricos e reais, de indivíduos reais cujas ações e condições de existência material podem empiricamente ser observadas. E essa observação empírica mostra nos fatos, sem nenhuma especulação nem mistificação, a posição ocupada por negros e mestiços na estrutura social, política e econômica do Brasil.

Pensada como uma categoria que serviria de base na construção da identidade nacional, a mestiçagem não conseguiu resolver os efeitos da hierarquização dos três grupos de origem e os conflitos de desigualdade raciais resultantes dessa hierarquização. Na verdade, os mestiços entraram nessa relação diferencial constituindo uma categoria intermediária, hierarquizada entre branco e negro/índio. Porém, eles não constituem uma categoria estanque pelo fato de o preconceito racial brasileiro ser de cor e não de origem (*one-drop*), como nos Estados Unidos e na antiga África do Sul. Ao combinar o critério de cor, ou seja, o grau de mestiçagem e a condição socioeconômica, eles podem atravessar a linha de cor e reclassificar-se no grupo branco. Nos primeiros meses de campanha política para as eleições presidenciais de 1994, o então candidato mais cotado fez uma declaração à imprensa alegando que é "mulatinho e tem os pés na cozinha". Esse exemplo, embora considerado depois pelo próprio autor como brincadeira, tem um fundo de verdade. Mostra que a possibilidade do mestiço brasileiro de realizar o *passing*, embora difícil, não é impossível. Muitos entre "nós" já teriam atravessado a fronteira.

---

[250] MOURA, Clóvis. *Op. cit.*, *idem.*

Talvez esteja nesse ponto a inteligência, bem como a eficácia, ou melhor, a originalidade do sistema racial brasileiro, que é capaz de manter uma estrutura racista sem hostilidades fortemente abertas como se observa em outros países. Como explicar que, numa nação complexa, construída num imenso território, com uma população estimada de 160 milhões de habitantes, numa nação marcada pelas diversidades étnicas e raciais, não se observem fenômenos de afirmação de identidades étnicas acompanhados de busca de autonomia e separatismo, com tanta força como acontece atualmente em alguns países ocidentais? A explicação estaria na ideologia brasileira, profundamente assimilativa e assimilacionista, capaz de criar constrangimento para os grupos que procuram se manter afastados da sociedade nacional.[252]

Essa ideologia não só procurou inseminar fatores culturais capazes de dominar as heranças culturais dos grupos étnicos que ela englobou, como conseguiu suscitar em toda a população, por mais heterogênea que seja, o sentimento de um destino comum, com maior poder de mobilização que o de origem étnica particular.

Não devemos deixar de constatar que, atualmente, brancos e negros brasileiros compartilham, mais do que imaginam, modelos comuns de comportamento e de ideias. Os primeiros são mais africanizados, e os segundos mais ocidentalizados do que imaginam.

> Quando o negro brasileiro interpreta de forma distinta, até mesmo oposta, a história brasileira, ele pode, sem dúvida, minimizar seu pertencimento brasileiro como forma de protesto ao mundo ocidental. Mas ele não pode negar seu pertencimento em termos de heranças culturais, sustentado por quase cinco séculos de coexistência no mesmo espaço geopolítico e do entrelaçamento de seus respectivos patrimônios culturais.[253]

Na sua retórica contra as desigualdades raciais, os movimentos negros organizados enfatizam, entre outros, a reconstrução de sua identidade racial e cultural como plataforma mobilizadora no caminho da

---

[251] GNACCARINI, José César & QUEIROZ, Renato da Silva. Problèmes ethniques d'un pays multiracial. In: *Passarelles* (5), 1992, p. 55.
[252] D'ADESKY, Jacques Edgar François. *Pluralismo e identidade étnica no Brasil*. Rio de Janeiro, inédito, 1994, p. 59.

conquista de sua plena cidadania. Eles preconizam que cada grupo respeite sua imagem coletiva, que a cultive e dela se alimente, respeitando ao mesmo tempo a imagem dos outros... Ora, uma tal proposta esbarra na mestiçagem cultural, pois o espaço do jogo de todas as identidades não é nitidamente delimitado. Como cultivar independentemente seu jardim se não é separado dos jardins dos outros? No Brasil atual, as cercas e as fronteiras entre as identidades vacilam, as imagens e os deuses se tocam, se assimilam. Por isso, tem-se certa dificuldade em construir uma identidade racial e/ou cultural "pura", que não possa se misturar com a identidade dos outros.[254]

A cidade de São Paulo oferece o melhor exemplo de mistura de identidade, apesar de se considerar como uma das primeiras cidades mais ocidentalizadas da América Latina. Como argumenta François Laplantine:

> em São Paulo como no Brasil, não se escolhe entre a ordem e a desordem, entre a doçura e a violência, entre a sabedoria e a loucura, entre a lógica da razão e aquela expressa pelas divindades invocadas hoje e recebidas do mundo inteiro. Milhares de religiões imigradas, trazidas da Europa, da Ásia ou dos Estados Unidos ou então matizadas e formadas no cadinho brasileiro, estão presentes na cidade, e graduações sutis fazem com que se passe de uma a outra sem ruptura e sem contradição aparente.[255]

Uma questão muitas vezes levantada: afinal, o que distingue profundamente a sociedade brasileira das outras sociedades da América Latina, todas herdeiras da colonização ibérica? É principalmente sua formação ternária com forte reapropriação do componente negro. Com efeito, na cidade de São Paulo, onde o número de terreiros de candomblé é cada vez mais crescente, se multiplicam particularmente as casas chamadas de "africanização", essencialmente frequentadas por descendentes de italianos, espanhóis e alemães que afirmam, nessa

---

[253] MUNANGA, Kabengele. Identidade, cidadania e democracia: Algumas reflexões críticas sobre os discursos anti-raciais no Brasil. In: SPINK, Mary Jane Paris (Org.). *A cidadania em construção*. São Paulo, Cortez, 1994, p. 184.

[254] LA PLATINE, François; OLIEVENSTEIN, Claude. *Um olhar francês sobre São Paulo*. São Paulo, Brasiliense, 1993, p. 55.

busca pelas origens da África, não uma africanidade fictícia, mas uma brasilidade real.[256]

Os movimentos negros brasileiros contemporâneos, nascidos na década de 1970, retomaram a bandeira de luta dos movimentos anteriores representados pela Frente Negra, substituindo o antirracismo universalista pelo antirracismo diferencialista. Sob a influência dos movimentos negros americanos, eles tentam dar uma redefinição do negro e do conteúdo da negritude no sentido de incluir neles não apenas as pessoas fenotipicamente negras, mas também e sobretudo os mestiços descendentes de negros, mesmo aqueles que a ideologia do branqueamento já teria roubado. Esta definição do ponto de vista do movimento negro corresponde à classificação dualista ou birracial negro/branco que nada tem a ver com a classificação cromática plural, popular, cujo levantamento, a partir do censo de 1980, deu cerca de 136 cores. Essa divergência sobre a sua "autodefinição", observada entre os afros politicamente mobilizados através dos movimentos negros, de um lado, e as bases negras constituindo a maioria não mobilizada, de outro, configura o nó do problema na formação da identidade coletiva do negro. Como formar uma identidade em torno da cor e da negritude não assumidas pela maioria cujo futuro foi projetado no sonho do branqueamento? Como formar uma identidade em torno de uma cultura até certo ponto expropriada e nem sempre assumida com orgulho pela maioria de negros e mestiços?

Apesar das dificuldades e obstáculos, os movimentos negros têm a consciência de que, sem forjar essa definição e sem a solidariedade de negros e mestiços, não há nenhum caminho no horizonte capaz de desencadear o processo de mobilização política. Os resultados de sua luta, embora imprevisíveis a longo prazo, deram alguns sinais positivos no campo da semântica utilizada pelos políticos e jornalistas sobre o conceito de negro. Com efeito, desde a abertura democrática, alguns poucos e raros afro-brasileiros que se candidataram a cargos legislativos e executivos em nível nacional, estadual e municipal, foram todos, independentemente de suas nuanças de cor, nivelados no conceito de negro forjado pelos movimentos negros sob a influência dos movimentos norte-americanos. Assim, os então governadores do Rio Grande do Sul, do Espírito Santo e

---

[255] LA PLATINE, François; OLIEVENSTEIN, Claude. *Op. cit.*, p. 65.

de Sergipe foram tratados como primeiros governadores negros do Brasil e foram discriminados durante a campanha eleitoral como negros, apesar de serem, em sua maioria, nitidamente mestiços. Celso Pita é considerado como o primeiro negro eleito do município de São Paulo, apesar dele ter também todos os traços do mestiço indisfarçável. Mas a questão que fica no ar, e que mereceria uma pesquisa, é saber se no imaginário da maioria da população brasileira (branca, negra, indígena, oriental, mestiça) Celso Pita é visto como um negro de acordo com o imaginário político. O fato do próprio prefeito Celso Pita se assumir politicamente como negro poderia, pedagógica e psicologicamente, criar um efeito de autoestima na maioria da população negra e mestiça que, de uma hora para outra, abandonaria o ideário do branqueamento cultivado há quase um século para assumir sua negritude?

Uma outra influência na redefinição do negro vem através da revista *Raça Brasil*, uma revista de moda, também inspirada das revistas negras dos Estados Unidos que têm uma definição etnossemântica do negro baseada na lei de uma gota de sangue (*one-drop*). As pessoas exibidas nessa revista, na sua maioria bonitas e mestiças do ponto de vista da classificação popular "múltipla",[257] são consideradas ou se consideram negras. Mas trata-se de uma nova imagem do negro, política e ideologicamente induzida pelos responsáveis e pensadores da revista. Até que ponto todas as leitoras e leitores dessa revista se identificam com os personagens desenhados, a ponto de assumirem todos a negritude e a identidade negras? É uma outra pergunta que mereceria uma enquete. No entanto, sabemos que a revista *Raça Brasil*, apesar de sua grande tiragem, só atinge a classe média negra e branca. Por isso, fica difícil medir imediatamente seus efeitos psicológicos e pedagógicos na grande massa negra e mestiça que mal chega a ela, sem uma pesquisa baseada numa amostra representativa.

Apesar do esforço dos movimentos negros em redefinir o negro, dando-lhe uma consciência política e uma identidade étnica mobilizadoras, contrariando a ideologia de democracia racial construída a partir de um

---

[256] Ver, a respeito dessa classificação, o artigo de Fry, Peter. O que a Cinderela Negra tem a dizer sobre "política racial" no Brasil. In: *Revista USP* (28), 1995/1996, São Paulo, p. 122-135.

racismo universal, assimilacionista, integracionista – o universalismo – aqui, concordamos com Peter Fry –, essa ideologia "continua forte no Brasil, na sua constituição e na ideia da democracia racial, mesmo se há sinais [...] de uma crescente polarização".[258] Se a mestiçagem representou o caminho para nivelar todas as diferenças étnicas, raciais e culturais que prejudicavam a construção do povo brasileiro, se ela pavimentou o caminho não acabado do branqueamento, ela ficou e marcou significativamente o inconsciente e o imaginário coletivo do povo brasileiro. O universalismo tão combatido pelos movimentos negros contemporâneos se recupera justamente através da mestiçagem e da ideia do sincretismo sempre presentes na retórica oficial. Numa entrevista televisada neste ano, perguntaram a algumas pessoas sua opinião sobre a chamada ação afirmativa inspirada nas políticas compensatórias em benefício do negro nos Estados Unidos. Entre elas, estava uma grande dama baiana, a senhora X, mulher do grande escritor X, mundialmente conhecido. Ela achou absurdo incrementar políticas públicas de ação afirmativa em benefício do negro num País onde todo mundo é mestiço! Penso eu que a ideia do universalismo recuperada pela figura do mestiço corre em filigrana na obra *O povo brasileiro*, de Darcy Ribeiro.

Como escreveu João Baptista Borges Pereira, entre as características do racismo brasileiro, a ambiguidade é uma delas. Talvez, digo eu, a mais importante. Ela permeia tanto a reflexão do estudioso do tema como o próprio viver das pessoas que, cotidiana ou institucionalmente, enfrentam a pluralidade étnica brasileira.[259] O mestiço brasileiro simboliza plenamente essa ambiguidade, cuja consequência na sua própria definição é fatal, num país onde ele é de início indefinido. Ele é "um e outro", "o mesmo e o diferente", "nem um nem outro", "ser e não ser", "pertencer e não pertencer". Essa indefinição social – evitada na ideologia racial norte-americana e no regime do *apartheid* –, conjugada com o ideário do branqueamento, dificulta tanto a sua identidade como mestiço quanto a sua opção da identidade negra.

---

[257] FRY, Peter. *Op. cit.*, p. 133.

[258] PEREIRA, João Baptista Borges. Racismo à brasileira. In: MUNANGA, Kabengele (org.). *Estratégias e políticas de combate à discriminação racial*. São Paulo: Edusp/Estação Ciência, 1996, p. 75.

A sua opção fica hipoteticamente adiada, pois espera, um dia, ser "branco", pela miscigenação e/ou ascensão social.

Depois da 3ª *Conferência Mundial contra o Racismo, a Discriminação Racial*, a Xenofobia e Formas Correlatas de Intolerância, organizada em Durban, África do Sul, em agosto/setembro de 2001, a questão da mestiçagem, sempre presente no mito da democracia racial brasileira, ressurgiu com muita força no discurso dos intelectuais que forneceram argumentos de peso contra as políticas afirmativas. Segundo uns, o Brasil não é um país racista como os Estados Unidos, porque produziu uma categoria social composta de pardos ou mestiços que infelizmente está sendo ameaçada pelas cotas ditas raciais. Para outros, os negros não existem para serem beneficiados pelas cotas num país de mestiços. Com as cotas, o Brasil será transformado num país de apenas duas "raças", branca e negra, suprimindo os mestiços e todos os não brancos em geral. Para os defensores das cotas, os mestiços são social e politicamente negros apesar de sua dupla ascendência.

No entanto, a ideologia dominante sempre defendeu a ideia de que a identidade brasileira é mestiça, isto é, nem negra, nem branca, nem indígena. Mas ao voltar da Conferência de Durban, de cuja Declaração ele foi um dos países signatários, o Brasil oficial assumiu seu racismo e se propôs a implementar as políticas afirmativas. Políticas essas que engendraram querelas e polêmicas intermináveis que giraram, em grande parte, em torno da questão da mestiçagem. O que leva a crer que política e ideologicamente a mestiçagem é uma peça de grande peso nas propostas e projetos de mudanças contra as desigualdades raciais no Brasil. Todas as tendências reivindicam a mestiçagem para sustentar ora a unidade nacional, ora a identidade negra.

Referências

ALENCASTRE, Luiz Felipe. Geopolítica da mestiçagem. In: *Novos estudos*, São Paulo: CEBRAP, n. 11, 1985.

AZEVEDO, Thales de. *Civilização e mestiçagem*. Salvador: Progresso, 1951.

AZEVEDO, Thales de. *Les elites de couleur dans une ville brésilienne*. Paris: UNESCO, 1952.

AZEVEDO, Thales de. *As elites de cor – um estudo de ascensão social*. São Paulo: Editora Nacional, 1955.

AZEVEDO, Thales de. *Democracia racial: ideologia e realidade*. Petrópolis: Vozes, 1975.

BACELAR, Jeferson. Etnicidade. *Ser negro em Salvador*. Salvador: Edições Ianama/PENBA, 1989.

BALIBAR, Etienne; WALLESTEIN, Immanuel. *Race, nation, classe. Les identités ambigües*. Paris: Editions La Découverte, 1988.

BASTIDE, Roger; FERNANDES, Florestan. *Relações raciais entre negros e brancos em São Paulo*. São Paulo: UNESCO; ANHEMBI, 1955.

BASTIDE, Roger; FERNANDES, Florestan. *Brancos e negros em São Paulo*. São Paulo: Editora Nacional, 1959.

BASTIDE, Roger; FERNANDES, Florestan. *O negro no mundo dos brancos*. São Paulo: Difusão Europeia do Livro, 1972.

BERGMANN, Michel. *Nasce um povo*. 2. ed. Petrópolis: Vozes, 1976.

BERQUÓ, Elza. *Demografia da desigualdade. Algumas considerações sobre o negro no Brasil*. Comunicação apresentada na reunião "The demography of inequality in contemporary Latin América", Universidade da Flórida, 21-24 de fevereiro de 1988.

BILLIG, Michael. *Psychology, racism and facism*. Birmigham: Ed. Searchlight, 1981.

BIRNBAUM, Pierre. *Du multiculturalisme au nationalisme. La pensée politique*. Paris: Gallimard; Le Seuil, 1955.

BLIKSTEIN, Izidoro. Indo-europeu e racismo. In: *Revista USP*, n. 14, 1992, p. 104-110.

BONNIOL, Jean-Luc. *La Couleur Comme Maléfice*. Paris: Albin Michel, 1992.

BRANDÃO, Carlos Rodrigues. *Identidade e etnia. Construção da pessoa e resistência cultural*. São Paulo: Brasiliense, 1986.

BUFFON, Georges-Louis Leclerc. *Oeuvres philosophiques, texte établi et présenté par Jean-Piveteau*. Paris: PUF, 1954.

BUFFON, Georges-Louis Leclerc. Variétés dans l'espèce humaine (1749). In: BUFFON, Georges-Louis Leclerc. *De l'homme, présentation de Michèle Duchet*. Paris: Maspero, 1971.

CAHIERS CRLH-CIRAOI, n. 7-1991. *Métissages* – Tome I. Saint-Denis Cedex, Île de la Reunion, L'Harmattan, 1992.

CARVALHO, José Jorge de. Mestiçagem e segregação. In: *Humanidades*, Ano 5, n. 17, Brasília, 1988.

CARVALHO, José Murilo de. Entre a liberdade dos antigos e a dos modernos: a República no Brasil. *Dados*. Rio de Janeiro: IUPERJ; Vértice, v. 32, n. 3, 1989.

CHEBEL, Malek. *La formation de l'identité politique*. Paris: PUF, 1986.

COHEN, William B. *Français et Africains. Les noirs dans le regard des blancs*. Paris: Gallimard, 1981.

CONSORTE, Josildeth Gomes; COSTA, Márcia Regina (orgs.). *Religião, política, identidade*. São Paulo: Editora da PUC-SP, 1988.

CONSORTE, Josildeth Gomes; HARRIS, Marvin; LANG, Joseph; BYRNE, Bryan. (1993). Who are the whites?: Imposed census categories and the racial demography of Brazil. The University of North Carolina Press, *Social forces*, 72 (2), p. 451-462.

CONSORTE, Josildeth Gomes; HARRIS, Marvin; LANG, Joseph; BYRNE, Bryan. A Reply to Telles. The University of North Carolina Press, *Social Forces*, 73 (4): 1613-1614.

CRÉPEAU, P. *Classifications populaires et métissage: Essai d'anthropologie cognitive*. Sainte-Marie (Martinique), Centre de Recherches Caraïbes, 1972.

CROCHÍK, José Leon. *Preconceito, indivíduo e cultura*. 2. ed. São Paulo: Robe Editorial, 1997.

CUNHA, Euclides da. *Os sertões*. 14. ed. Rio de Janeiro: Francisco Alves, 1938.

D'ADESKY, Jacques. Mouvements noirs, identité et idéologie au Brésil. In: GOSSELIN, Gabriel *et al. Les sociétés pluriculturelles: problématiques, enjeux e perspectivas*. Paris: L'Harmattan, 1994.

D'ADESKY, Jacques. *Pluralismo étnico e multiculturalismo, racismo e anti-racismo no Brasil*. 1996. (Tese de Doutoramento) – FFLCH, Universidade de São Paulo, 1996.

DA MATTA, Roberto. *Digressão, a fábula das três raças. In:* DA MATTA, Roberto. *Relativizando. Uma introdução à Antropologia Social*. Rio de Janeiro: Zahar, 1987.

DAVID, F. James. *Who is black? One notion's definition*. Pensylvania: State University Press, 1991.

DEBBASCH, Y. *Couleur et Liberté. Le jeu du critère ethnique dans un ordre juridique Esclavagiste*. Paris: Dalloz, 1967.

DEGLER, Carl. *Neither black nor white*. Nova York: Mac Millan, 1971.

DEGLER, Carl. *Nem preto nem branco. Escravidão e relações raciais no Brasil e nos Estados Unidos*. Rio de Janeiro: Labor do Brasil, 1976.

DIDIER, Béatrice. Le métissage de l'Éncyclopédie à la Révolution: de l'anthropologie à la politique. In: Cahiers CRLH-CIRAOI, n. 7-1991. *Métissages*, Tome I. Saint-Denis Cedex, l'île de la Reunion, L'Harmattan, 1992.

DIÉGUES Júnior, Manuel. *Etnias e culturas no Brasil*. 6. ed. Rio de Janeiro: Civilização Brasileira, 1977.

DIOP, Cheikh Anta. *Nations nègres et cultures*. Paris: Présence Africaine, 1954.

DIOP, Cheikh Anta. *The African origin of civilization: Myth or reality*. Nova York: Wesport Lawrence Hill Company, 1974.

DIOP, Cheikh Anta. *Civilisation ou Barbarie*. Paris: Présence Africaine, 1981.

DOS REIS, Eneida Almeida. *Mulato: negro-não-negro e/ou branco-não-branco*. São Paulo: Editor Altana, 2002. (Coleção Identidades)

DUCHET, Michèle. *Anthropologie et histoire au siècle des lumières*. Paris: Maspero, 1971.

FERNANDES, Florestan. *A integração do negro na sociedade de classes*. 2 volumes. São Paulo: Dominus; EDUSP, 1965.

FONSECA, Ana Maria Medeiros da. *Das raças à família: um debate sobre a construção da nação*. Dissertação de Mestrado, Departamento de História do Instituto de Filosofia e Ciências Humanas da Universidade de Campinas, UNICAMP, 1992.

FREYRE, Gilberto. *Casa grande e senzala*. Rio de Janeiro: Schmidt, 1933.

FREYRE, Gilberto. *Sobrados e mucambos*. São Paulo: Editora Nacional, 1936.

FRY, Peter. Wy Brazil is different. *Sunday Times Newspaper*. Londres, The Times Literary Supplement, n. 4836, dec. 8, 1995.

FRY, Peter. O que a cinderela negra tem a dizer sobre a política racial no Brasil. In: *Revista USP*, São Paulo, n. 28, 1995-1996.

FRY, Peter. *A persistência da raça: ensaios antropológicos sobre o Brasil e a África austral*. Rio de Janeiro: Civilização Brasileira, 2005.

FRY, Peter. et al. (Orgs.). *Divisões perigosas: políticas raciais no Brasil contemporâneo*. Rio de Janeiro: Civilização Brasileira, 2007.

GLAZER, Nathan; MOYNIHAN, Daniel P. (Dir.). *Etnicity, teory and experience*. Cambridge: Harvard University Press, 1975.

GLIOZZI, Giuliano. Le métissage et l'histoire de l'espèce humaine. De Maupertuis à Gobineau. In: *Cahiers CRLH-CIRAOI*, n. 7-1991. Métissage, Tome I. Saint-Dénis Cedex, l'Île de la Reunion, l'Harmattan, 1992.

GNACCARINI, J. César; QUEIROZ, Renato da Silva. Problèmes ethniques d'un pays multiracial. In: *Passarelles*, n. 5, 1992.

GOMES, Nilma Lino. *O movimento negro educador: saberes construídos nas lutas por emancipação*. Petrópolis: Editora Vozes, 2017.

GUIMARÃES, Antonio Sérgio Alfredo. Racismo e anti-racismo no Brasil. In: *Novos estudos*. São Paulo: CEBRAP, n. 43, 1995.

GUIMARÃES, Antonio Sérgio Alfredo. O recente anti-racismo brasileiro: o que dizem os jornais diários. In: *Revista USP*, n. 28, São Paulo, 1995-1996.

GUTMANN, Amy. Introduction. In: TYLOR, Charles. *Multiculturalisme. Différence et démocratie*. Traduzido do inglês: *Multiculturalism and the politics of recognition*. Paris: Aubier, 1994.

HANKINS, Frank H. *La Race dans la civilisation*. Paris: Payot, 1935.

HARRIS, Marvin. *Town and country in Brazil*. Nova York: University Press Columbia, 1956.

HARRIS, Marvin. *Padrões raciais nas Américas*. Rio de Janeiro: Civilização Brasileira, 1967.

HARRIS, Marvin. *Patterns of race in the Americas*. Nova York: Walker, 1964.

HASENBALG, Carlos. *Discriminação e desigualdades raciais no Brasil*. Rio de Janeiro: Graal, 1979.

HASENBALG, Carlos. Notas sobre desigualdades racial e política no Brasil. *Estudos Afro-Asiáticos*, n. 25, Rio de Janeiro: CEAA, 1993.

IANNI, Octavio. *Raças e classes sociais no Brasil*. Rio de Janeiro, Civilização Brasileira, 1966.

JACQUARD, Albert. *Eloge de la différence. La génétique et les hommes*. Paris: Seuil, 1978.

KAMEL, Ali. *Não somos racistas: uma reação aos que querem nos transformar numa nação bicolor*. Rio de Janeiro: Nova Fronteira, 2006.

LA PLANTINE, François; OLIEVENSTEIN, Claude. *Um olhar francês sobre São Paulo*. São Paulo: Brasiliense, 1993.

LABELLE, M. *Idéologie de couleur et classes sociales em Haïti*. Montréal: Presse de l'Université de Montréal, 1978.

LACERDA, João Batista. *Sur les métis au Brésil*. Paris: Imprimerie Devouge, 1911.

LEFORT, René. *L'Afrique du Sud: histoire d'une crise*. Paris: Maspero, 1977.

LEITE, Dante Moreira. *O caráter nacional brasileiro*. 2. ed. São Paulo: Livraria Pioneira Editora, 1969.

MAGGIE, Yvonne. *A ilusão do concreto: análise do sistema de classificação racial no Brasil*. (Tese de Titulação) Universidade Federal do Rio de Janeiro, 1991.

MAGNOLI, Demétrio. *Uma gota de sangue: história do pensamento racial*. São Paulo: Contexto, 2009.

MEAD, Margared; BALDWIN, James. *A rap on race*, trad. francesa: *le racisme em question*. Préface de Roger Bastide. Paris: Ed. Calman-Levy, 1971.

MEILLASSOUX, Claude. *Les derniers blancs: le modèle sud-africain*. Paris: Maspero, 1979.

MICHAUD, Guy. *Identités collectives et relations interculturelles*. Bruxelles: Editions Complexe, 1978.

MÖRNER, Magnus. *Le métissage dans l'histoire de l'Amérique Latine*. Paris: Librairie Fayard, 1971.

MOURA, Clóvis. *Sociologia do negro brasileiro*. São Paulo: Ática, 1988.

MOURA, Clóvis. *As injustiças de Clio*. Belo Horizonte: Oficina de Livros, 1990.

MOURA, Clóvis. *Dialética racial do Brasil negro*. São Paulo: Editora Anita Ltda, 1994.

MUNANGA, Kabengele. Preconceito de cor: diversas formas, um mesmo objetivo. *Revista de antropologia*, v. 21, Universidade de São Paulo, 1978.

MUNANGA, Kabengele. Du blanchissement à la négritude: la dialéctique de la question raciale brésilienne. *Recherche, Pédagogie et Culture*, n. 64, Paris, 1983.

MUNANGA, Kabengele. *Negritude: usos e sentidos*. São Paulo: Ática, 1986.

MUNANGA, Kabengele. Negritude afro-brasileira: Perspectivas e dificuldades. *Revista de antropologia*. v. 33. Universidade de São Paulo, 1989.

MUNANGA, Kabengele. Identidade, cidadania e democracia: algumas reflexões sobre os discursos anti-racistas no Brasil. In: SPINK, Mary Jame Paris (Org.). *A cidadania em construção*. São Paulo: Cortez, 1994.

MUNANGA, Kabengele. As facetas de um racismo silenciado. In: SCHWARCZ, L. Moritz; QUEIROZ, Renato da silva (Orgs.). *Raça e diversidade*. São Paulo: Edusp/ Estação Ciência, 1996.

MUNANGA, Kabengele. As facetas de uma identidade cultural endeusada. In: LUZ, Narcimária Correia do Patrocínio (Org.). *Pluralidade cultural e educação*. Salvador: Edições SECNEB, 1996.

MUNANGA, Kabengele. Mestiçagem e experiências interculturais no Brasil. In:

RISÉRIO, Antônio. *A utopia brasileira e os movimentos negros*. 2. ed. São Paulo: Editora 34, 2012.

SCHUCMAN, Lia Vainer. *Entre o encardido, o branco e o branquíssimo: branquitude, hierarquia e poder na cidade de São Paulo*. São Paulo: Annablume, 2014.

SCHWARCZ, Lília Morits; REI, Letícia Vidor de Souza (Orgs.). *Negras imagens*. São Paulo: Edusp/Estação Ciência, 1996.

MUNANGA, Kabengele. O anti-racismo no Brasil. In: MUNANGA, Kabengele. *Estratégias e políticas de combate à discriminação racial*. São Paulo: Edusp/Estação Ciência, 1996.

MUNANGA, Kabengele. *Estratégias e políticas de combate à discriminação racial*. São Paulo: Edusp/Estação Ciência, 1996.

MYRDAL, G. *An american dilemma. The negro problem and modern democracy*. Nova York: Harper and Brothers, 1944.

NASCIMENTO, Abdias do. (1978) *O genocídio do negro brasileiro. Processo de um racismo mascarado*. Rio de Janeiro: Paz e Terra.

NASCIMENTO, Abdias do. *O quilombismo*. Petrópolis: Vozes, 1980.

NICHOLLS, D. From Dessaline to Duvallier. *Race, colour and national independente in Haïti*. Londres: Cambridge University Press, 1979.

NOGUEIRA, Oracy. *Tanto preto quanto branco. Estudos de relações raciais*. São Paulo: T. A. Queiroz, 1985.

OLIVEIRA, Eduardo de Oliveira e. O mulato, um obstáculo epistemológico. In: *Argumento*, ano 1, n. 3: 65-74, Rio de Janeiro: Ed. Paz e Terra, 1974.

OLIVEN, Ruben Georges. A elaboração de símbolos nacionais na cultura brasileira. *Revista de antropologia*. v. 26. São Paulo: Universidade de São Paulo, 1983.

ORTIZ, Renato. *Cultura brasileira e identidade nacional*. 4. ed. São Paulo: Brasiliense, 1994.

PEREIRA, João Baptista Borges. *A cultura negra: resistência de cultura à cultura de resistência*. São Paulo: Dédalo,1984. 23:177-188.

PEREIRA, João Baptista Borges. O retorno do racismo. In: SCHWARCZ, Lília Morits; QUEIROZ, Renato da Silva (Orgs.) *Raça e diversidade*. São Paulo: EDUSP/ Estação Ciência, 1996.

PEREIRA, João Baptista Borges. Racismo à brasileira. In: MUNANGA, Kabengele (Org.). *Estratégias e políticas de combate à discriminação racial*. São Paulo: EDUSP/ Estação Ciência, 1996.

PEYRAS, Jean. Identités culturelles et métissages ethniques dans l'antiquité. In: Cahiers CRLH-CIRAOI, n. 7-1991. *Métissages*, Tome I. Saint-Denis Cedex, l'île de la Reunion: l'Harmattan, 1992.

PIERSON, D. *Brancos e pretos na Bahia*. 2. ed. São Paulo: Editora Nacional, 1971.

PINTO, Regina Pahim. *O movimento negro em São Paulo: luta e identidade*. (Tese de doutoramento) – Universidade de São Paulo, 1993.

POLIAKOV, Léon. *O mito ariano*. São Paulo: Ed. Perspectiva/EDUSP, 1974.

POLIAKOV, Léon. Le fantasme des êtres hybrides et la hierarchie des races aux XVIII et XIXème siècle. In: *Hommes et Bêtes. Entretiens sur le racisme*. Paris: La Haye/ Mouton, 1975.

POLIAKOV, Léon. Du noir au blanc, ou la cinquième generation. In: *Le Couple Interdit. Entretiens sur le racisme*. Paris, La Haye/Mouton, 1980.

POLIAKOV, Léon; DELACAMPAGNE, Christian; GIRAD, Patrick. *Le racisme*. Paris: Ed. Seghers, 1976.

QUEIROZ JÚNIOR, T. *Preconceito de cor e a mulata na literatura brasileira*. São Paulo: Ática, 1975.

RAMOS, Guerreiro. O negro desde dentro. In: *Ensaio em teatro experimental do negro – testemunhas*. Rio de Janeiro: Edições GRD, 1966.

RIBEIRO, Darcy. *O povo brasileiro*, 2. ed. São Paulo: Companhia das Letras, 1995.

RIBEIRO, Darcy. Sobre a mestiçagem no Brasil. In: SCHWARCZ, Lília Moritz; QUEIROZ, Renato da Silva (Orgs.) *Raça e diversidade*. São Paulo: EDUSP/Estação Ciência, 1996.

RIBEIRO, Fernando Rosa. *Coloured: o estancamento da mediação racial na África do Sul*. Rio de Janeiro, manuscrito inédito, 1994.

RISÉRIO, Antônio. *A utopia brasileira e os movimentos negros*. 2. ed. São Paulo: Editora 34, 2012.

ROCKFELLER, Steven. Multiculturalisme. In: TYLOR, Charles. Multiculturalisme. *Différence et Democratie*. Traduzido do inglês: *multiculturalism and the Politics of Recognition*. Paris: Aubier, 1994.

RODRIGUES, Nina. *As raças humanas e a responsabilidade penal no Brasil*. Salvador: Livraria Progresso Editora, 1957.

RODRIGUES, Nina. *Os africanos no Brasil*. 5. ed. São Paulo: Companhia Editora Nacional, 1977.

ROMERO, Sílvio. *História da Literatura Brasileira*. 29. ed. São Paulo: Cultrix, 1975.

ROSE, Arnold. *Negro: o dilema americano*. São Paulo: Ed. Instituição Brasileira de Difusão Cultural S.A., 1968.

SAINT-MÉRY, Moreau de. *Description de la partie française de l'île de Saint Domingue*. Paris: Larousse, 1958.

SALMON, Pierre. *Le racisme devant l'histoire*. Paris: Nathan, 1980.

SANTOS, Neuza Souza. *Tornar-se negro ou as vicissitudes da identidade do negro brasileiro em ascensão social*. Rio de Janeiro: Graal, 1983.

SCHUCMAN, Lia Vainer. *Entre o encardido, o branco e o branquíssimo: branquitude, hierarquia e poder na cidade de São Paulo*. São Paulo: Annablume, 2014.

SCHWARCZ, Lília Moritz; QUEIROZ, Renato da Silva (Orgs.). *Raça e diversidade*. São Paulo: EDUSP/Estação Ciência, 1996.

SCHWARCZ, Lília Moritz; REI, Letícia Vidor de Souza (Orgs.). *Negras imagens*. São Paulo: EDUSP/Estação Ciência, 1996.

SCHWARCZ, Lília Moritz. *O espetáculo das raças*. São Paulo: Companhia das Letras, 1993.

SEYFERTH, Giralda. A estratégia do branqueamento. Revista *Ciência Hoje*, v. 5, n. 25, 1986.

SEYFERTH, Giralda. As ciências sociais no Brasil e a questão racial. In: SILVA, Jaime da; BIRMAN, Patrícia; WANDERLY, Regina (Orgs.). *Cativeiro e liberdade*. Rio de Janeiro: IUPERJ, 1989.

SILVA, Nelson do Valle; HASENMBALG, Carlos. *Relações raciais no Brasil contemporâneo*. Rio de Janeiro: Rio Fundo Editora, 1992.

SKIDMORE, Thomas. *Preto no branco. Raça e nacionalidade no pensamento brasileiro*. Rio de Janeiro: Paz e Terra, 1976.

SODRÉ, Nelson Werneck. *A ideologia do colonialismo*. Rio de Janeiro: Editora Civilização Brasileira, 1965.

SPINK, Mary Jane Paris (Org.). *A cidadania em construção*. São Paulo: Cortez, 1994.

TELLES, Edward E. Who are the Morenas. The University of North Carolina Press, *Social forces*, 73(4): 1609- 1611. 1995.

TODD, Emmanuel. La troisième planète. *Structures familiales et systèmes idéologiques*. Paris: Seuil, 1983.

TODOROV, Tzvetan. *Nous et les autres*. Paris: Seuil, 1989.

TORRES, Alberto. O problema nacional brasileiro: *Introdução a um programa de organização nacional*. 4. ed. Brasília: Editora Nacional/UnB, 1982.

VIANA, Francisco José de Oliveira. *Populações meridionais do Brasil*. São Paulo: Edições da Revista do Brasil-Monteiro Lobato e Cia. Editores, 1920.

VIANA, Francisco José de Oliveira. *O typo brasileiro. Seus elementos formadores.* In: Diccionário Histórico, Geográfico e Etnológico do Brasil – Primeiro volume. Rio de Janeiro: Imprensa Nacional, 1922.

VIANA, Francisco José de Oliveira. *Raça e assimilação*. 3. ed. Rio de Janeiro: Companhia Editora Nacional, 1938.

VIANA, Francisco José de Oliveira. *Evolução do povo brasileiro*. 4. ed. Rio de Janeiro: Livraria José Olympio Editora, 1956.

VINCKE, Edouard. *Géographes et Hommes d'Ailleurs*, 1985.

Bruxelles, Comission Française de la Culture de l'Aglomération de Bruxelles. Collection Document, n. 28.

WEST, Cornel. *Questão de raça*. São Paulo: Companhia das Letras, 1994.

WIEVIORKA, Michel. *Racisme et xénophobie en Europe: une comparaison internationale*. Paris: La Découverte, 1994.π

X, Malcolm; HALEY, Alex. *Autobiografia de Malcolm X*. 2. ed. Rio de Janeiro: Record, 1992.

Este livro foi composto com tipografia Minion Pro e impresso em papel off-white 70 g/m² na Formato Artes Gráficas.